KB075697

이상한 책

앉은아이 지음

차례

이상한 사람들에게 5

1. 의미를 찾아야 한다 7
2. 자신의 바다에 다다르다 17
3. 자신의 요정 20
4. 동반자를 찾다 28
5. 불가항력에 대한 대처법 31
6. 나처럼 산다 36
7. 본질에 대하여 묻다 38
8. 설득보다 단호한 태도 40
9. 고정 관념의 주입 43
10. 재미가 있어야 한다 45
11. 이상한 사회 49
12. 모든 사람들이 특별하다 52
13. 해 보기 전에는 알 수 없다 56

14. 나를 가로막는 것은 나 자신이다 60
15. 후회라는 건 없다 63
16. 지금 알고 있는 것을 그때도 알고 있었더라면 65
17. 가치관의 정립 68
18. 자신만의 목적지 71
19. 죽음을 똑바로 응시하라 75
20. 인연 78
21. 그냥 좀 다른 사람 81
22. 스트레스 컨트롤 85
23. 좀비 모드 90
24. 딱히 상관은 없었다 94
25. 모두가 힘들다 96
26. 미숙한 것뿐이야 101
27. 내가 결정하는 거야 104
28. 두 가지 고난 106
29. 안녕 109

이상한 사람들에게

세상 모든 이상한 사람들에게 이 책을 바친다.
무리 속으로 자연스럽게 흘러 들어가지 못하는 사람.
자신을 표현하는 것이 서툰 사람.
사람들이 열광하는 주제에 대해서 별다른 흥미를 느끼지 못하는 사람.
남에게 말하지 못할 주제에 대해서 혼자서 고민하는 사람.
나는 알고 있다.
당신들은 이상한 사람이 아니다.
세상이 이상한 것이다.

1. 의미를 찾아야 한다.

'의미를 찾아야 한다…'

'살아갈 힘을 얻기 위해서……삶의 의미를 찾아야 한다.'

아무도 찾아오지 않는 시골의 한 작은 자취방.

이곳에서 나는 나지막이 읊조리고 있었다.

'나는 누구인가?'

'나는 이 세상에 왜 태어났는가?'

'나는 어떻게 살아야 하는가?'

'왜 살아야 하는가?'

'도대체 내 삶의 목적, 의미는 무엇인가?'

'애당초 삶의 목적, 의미란 것이 있기는 한 것인가?'

나는 지금 지독한 사고의 미로 속에 빠져 있다.

아리아드네의 실도 없는 지금 나는 이 미로 속에서 혼자의 힘으로 빠져나가야 한다.

나는 집중하고 또 집중했다.

옆에서 냄비의 물이 끓고 있는 것도 잊은 채로, 고요함 속에서 나는 사고의 늪으로 깊숙이 빠져들고 있었다.

이 모든 것은 아주 작은 흥미에서부터 비롯되었다.

평소에 어떠한 문제에 대해서 혼자서 묻고 답하면서 결론을 도출해 내는 것을 즐겼던 나는, 어느 날 갑자기 나를 한동안 괴롭히게 될 문제에 대해 의문을 가지게 되었다.

'나는 왜 사는 거지?'

'내 삶에는 어떠한 의미가 있지?'

삶의 목적에 대해서 의문을 가지는 순간, 나는 두근거리기 시작했다. 그것은 마치 소풍을 하루 앞둔 어린아이의 마음 같기도 했고, 대항해 시대에 출항을 앞둔 선장의 마음 같기도 했다.

'논리의 오류가 없이 정확하게 추론해 나간다면 내 삶의 목적을 찾아낼 수가 있을 것이다!!!'

이러한 생각이 들자, 나는 미칠 듯이 기쁜 마음을 감출 수가 없었다.

'어디에서부터 시작할까?'

그제야 나의 눈에 물이 끓고 있는 냄비가 들어왔다.

'나는 왜 물을 끓이고 있지?'

'라면을 끓이려고.'

'왜 라면을 끓이려는 거지?'

'먹어야지 힘을 내고 내가 할 일들을 할 수가 있으니까.'

'왜 일을 하려는 거지?'

'행복하려고?'

이상했다……이건 이상하다…이럴 리가 없다.

부푼 마음으로 항해에 나섰던 선장은 출발한 지 얼마 되지도 않아서 도착한 조그마한 무인도에서 고개를 갸우뚱거리고 있었다.

'인생의 목적이 행복하기 위해서라고? 그렇게 소박하다고?'

나는 그 사실을 받아들이지 못하고 있었다.

인생의 목적은 무언가 엄청나게 거창한 것이리라고 생각했던 나는 인생의 목적이 행복이라는 너무도 초라한 사실을 부정하고 다시 추론하기 시작했다.

'나는 왜 공부를 하는 거지?'
'시험에 붙으려고.'
'왜 시험에 붙으려고 하는 거지?'
'시험에 붙어야지 내 신념, 소신을 실현할 수가 있으니까.'
'왜 그래야 하지?'

'행복하려고?'

'아니야, 아니야. 이건 아니라고.'
나는 몇 번이나 다시 시도했지만, 처음과 똑같은 결론에 도달했다.
'아……도대체 내가 무엇을 잘못한 거지?'
막다른 골목에 다다른 나는 잠시 고민하다가 한숨을 내쉬면서 몸의 힘을 뺐다.
'모르겠다.'
'잠시 내려놓고 문제를 숙성시키자.'
고도의 집중력을 발휘해서 해결되지 않는 문제들은 잠시 내려놓은 다음에 머릿속에서 시간을 두고 문제를 숙성시키면

저절로 해결된다는 것을 나는 경험을 통해서 알고 있었다.
나는 문제를 잠시 내려놓은 다음에 다시 일상 속으로 돌아왔다.
바쁜 생활 중에 문제를 머릿속에서 잠시 끄집어내어 빤히 쳐다보다가 다시 집어넣기를 반복했다.

일주일이 지났다.
웬만한 문제들은 이 시점에서 해답이 나왔어야 한다.
'아…좀처럼 풀리지 않는구나.'
다시 시간이 흘러갔다.
2주, 3주, 한 달이 지나갔다.
머릿속에서 숙성시키고 있던 문제는 마치 굳건한 철옹성과도 같았다.
이것은 함락시킬 수가 없었다.

나는 한 가지 의문점이 생겼다.
'행복해지려고? 이게 최종 목적이 아닐 수도 있잖아?'
'최종 목적으로 가는 과정인데 내가 착각한 것일 수도 있겠다.'
'한 번 더 질문을 던져 볼까?'

'왜 행복해야 하지?'
'당연한 거 아니냐고?'
'당연히 우리는 행복하게 살아야 하는 거 아니냐고?'
'당연한 거니까 한번 질문을 던져 보는 거야.'
'당연한 것에 대한 의문은 우리를 본질에 다가가게 해 주거든.'

하지만 이 금지된 질문은 나를 끝이 보이지 않는 허무에 빠트리고 말았다.
행복해야 할 이유를 찾는 순간, 세상 모든 것들이 의미를 잃고
바람에 흩날려 사라져 갔다.
이 세상에 의미가 있는 것은 아무것도 없었다.
내가 살아야 할 이유도 없었다.

나는 아직 알지 못하고 있었다.
인생의 최종 목적에서 이유를 찾는 순간 모든 것이 의미를 잃어버리게 된다는 것을.
이유를 찾는 것은 최종 목적으로 가기 위한 과정이다.
최종 목적에 다다른 이후에는 그것의 이유를 찾아서는 안된다.

삶의 의미를 잃어버린 나는 마치 좀비와도 같았다.
힘없이 흐느적거리면서 움직였다.
식사도 하지 않았다.
그러다가 배고픔이 나의 인내력의 한계를 넘어서면 괴로움에서 벗어나기 위해서 먹을 뿐이었다.

나는 나지막이 읊조렸다.
'의미를 찾아야 한다.'
'살아갈 힘을 얻기 위해서 삶의 의미를 찾아야 한다.'

결국 나는 패배를 인정했다.
내가 졌다. 이 문제는 해결하지 못하겠다.
이 세상에 나보다 먼저 왔다 간 선배들의 지혜를 빌려야겠다. 이런 고민을 했던 사람이 나밖에 없을 리가 없다.
수많은 철학자, 성인들도 이런 고민을 했었을 거다.
그들이 찾아낸 답을 한번 알아보자.
나는 여러 철학서와 책들을 뒤지기 시작했다.
하지만 다들 어떻게 하면 행복해질 수 있는지, 행복해지기 위해서는 무엇을 알아야 하는지에 대해서만 말하고 있었다.
왜 행복해야 하는지에 대해서는 아무도 언급을 하고 있지 않았다.

‘아니야, 아니라고!’

‘왜 행복해야 하는지를 모르는데 행복해지기 위한 방법들이 무슨 소용이 있냐고.’

‘제발 누가 나에게 행복해야 하는 이유에 대해서 이야기해 줘.’

나의 조곤조곤한 절규는 그 어떤 외침보다도 간절했다.

그냥 태어났으니까 산다는 마인드를 나는 아주 혐오했다. 이유를 알 수가 없다면 의미가 없는 것이고 의미가 없다면 삶과 죽음은 아무런 차이점이 없는 것이었다.

죽음 같은 삶 속에서 한 줄기 빛을 찾아내기 위해서 나는 이유를 알아야 했다.

이 책 저 책에서 지구별 선배들의 지혜를 구하던 나의 손에 지금은 성경이 들려 있었다.

“창1:3 하나님이 이르시되 빛이 있으라 하시니 빛이 있었고”

“창1:4 빛이 하나님이 보시기에 좋았더라.”

아주 찰나의 순간이었다.

머릿속에서 블라인드가 걷히면서 빛이 쏟아져 들어오기 시작했다.

보시기에 좋았단다.

단순한 진리였다.
"좋았더라." 이 한마디에 모든 의문이 종결되었다.

'찾았다! 이거다!'
'질문을 던지지 말아야 할 것에 질문을 던졌던 거였구나.'
'내가 어리석었어.'
'내가 원하는 답이 아니라, 있는 그대로의 답을 받아들여야 했어.'
나는 자리에서 일어났다.
문을 열고 밖으로 나갔다.
따사로운 햇빛이 나를 기다렸다는 듯이 내리쬐고 있었다.
금은보화의 반짝임보다 햇살의 눈부심이 더 아름다웠다.
시골길 위의 잡종견 한 마리가 나를 쳐다보며 혀를 빼물고 꼬리를 흔들고 있었다.

'이 모든 것들이 보기에 좋았더라.'
'햇살이 따뜻해서 기분이 좋았고 강아지가 귀여워서 보기에 좋았더라.'
나는 웃고 있었다.
나의 삶은 죽음과 확연하게 구별되고 있었다.

"인생에 주어진 의무는 다른 아무것도 없다네."
"그저 행복하라는 한 가지 의무뿐."
"우리는 행복하기 위해 이 세상에 왔지."

- 헤르만 헤세 행복해진다는 것-

2. 자신의 바다에 다다르다

나는 흐르는 강을 바라보고 서 있었다.
강물은 잠시도 쉬는 법이 없다.
계속해서 흘러간다.
장애물을 만나면 피해서 지나가고 물길이 꺾이는 곳에서는 굽이쳐 흘러간다.

그러다가 댐을 만나면 물은 제자리에 머무르게 된다.
드디어 포기한 것인가?
댐에 의해 가로막혀서 앞으로 나아가기를 포기한 것인가?
그렇지 않다.
물은 절대로 포기한 것이 아니다.
외형상으로는 아무런 움직임이 없어 보이지만, 물의 의지는 사라진 것이 아니다.

아주 작은 틈이라도 보이면 밖으로 뿜어져 나가리라는 물의 의지는 아주 강력하다.

아무리 많은 시련과 난관에 가로막혀도 물은 절대 포기할 줄을 모른다.

그러다가 댐의 수문이 개방되면 물은 힘차게 밖으로 뿜어져 나간다. 물은 마치 자신이 있어야 할 곳을 향해서 끊임없이 노력하며 나아가는 것 같다.

'강물아, 너는 네가 있어야 할 곳에 이르기 전에는 절대로 포기할 줄을 모르는구나.'

나는 그런 강물을 바라보며 배우고 있었다.

나도 많은 시련을 겪으면서 흘러왔다.

이리저리 부딪히고 깨지면서도 나는 멈추지 않았다.

나와 같은 나이의 사람들이 머무르는 곳에 이르지 못한 나는……전혀 다른 방향으로 흘러가던 나는……댐에 의해서 가로막혀 괴로워하던 나는……

이윽고 깨달았다.

최종 목적지에 도착했음을...

나는 컴퓨터 앞에 앉아서 한글 프로그램을 열었다.

여기가 나만의 바다구나.

지난 세월의 상처 같은 주름들이 미소를 만들고 있었다.

참 오래도 걸렸다.

써 내려갈 이야기들을 몸으로 겪으면서 주워 담는데 인생의 반을 소비했었구나.

그래도 나는 강어귀나 댐에 머무르면서 편안함에 안주하지는 않았어. 나는 나만의 바다에 이르기까지 멈추지 않았어.

나는 말하고 싶다.

수문은 언젠가는 열리게 되어 있다고. 포기하지 말라고.

몸이 묶여 있더라도 의지만은 굽히지 말라고.

당신들의 바다는 당신을 기다리고 있다고.

3. 자신의 요정

모두가 잠든 새벽 시간이다.

나는 책상에 엎드려서 자고 있었다.

나의 앞에 놓인 모니터의 화면은 깨끗했다.

그렇다. 나는 단 한 글자도 쓰지 못하고 있었던 것이다.

첫 문장을 써 내려가는 것을 주저하다가 잠들어 버린 나는 아주 희미한 인기척을 느꼈다.

나는 눈을 감은 채로 생각했다.

이 방에는 나 말고는 아무도 없는데?

의아함에 눈꺼풀을 들어 올린 나의 눈에 흐릿하게 작은 사람의 형상이 들어왔다.

나는 깜짝 놀라서 고개를 들어 올려 눈을 비비고 다시 바라보았다. 그것은 분명히 작은 사람이었다.

한 뼘이 채 되지 않는 이 작은 사람은 나를 바라보며 웃고 있었다.

그는 강아지처럼 검고 큰 눈에 앙증맞은 코와 입을 가졌는데 마치 사탕을 물고 있는 것처럼 양 볼이 부풀어 올라 있었다. 빨은 엷은 홍조도 띠었다.

머리는 감고 나서 물기도 닦지 않고 내버려 둔 듯했고, 새가 떠나가 버린 둥지처럼 헝클어져 있었다.

2등신의 신체 비율에 배는 귀엽게 살짝 나와 있고 팔다리는 지방으로 두루뭉술하게 덮여 있었다.

그리고 전체적인 모습과는 전혀 어울리지 않게 잠자리의 것과도 같은 날개 두 쌍이 등 뒤에 달려 있었다.

"너는 누구니?"

나는 작은 사람에게 물었다.

"나는 요정이야."

"요정?"

"그래 바로 아저씨의 요정이야."

"그게 무슨 말이야? 나의 요정이라니?"

"사람들은 저마다 '자신만의 요정'을 가지고 있어. 나는 바로 아저씨의 요정이야."

나는 요정의 강아지 같은 눈을 보면서 말을 했다.

"요정이란 게 이렇게 생긴 거였구나."

"아니야. 나는 정해진 형태가 없어. 내 모습은 아저씨가 보는 대로 보이는 거야."

"내가 보는 대로 보인다고?"

"그래. 내 모습은 아저씨의 거울이라고 생각해."

"다른 사람들은 너를 볼 수가 없어?"

"거의 볼 수가 없어. 아주 순수한 사람이라면 모르지만."

"자 아저씨 봐 봐. 내 모습이 아름답지 않아?"

요정은 흐뭇한 미소를 지으며 양손을 옆구리에 올리고서는 귀엽게 나온 배를 더 힘을 줘서 내밀고는 몸을 좌우로 천천히 움직여 댔다.

"아……귀엽기는 한 것 같은데, 그렇게 아름답지는 않은 것 같아."
예쁘게 포장해서 말하는 것이 서투른 나로서는 최대한 예의를 갖춘 표현이었다.
요정은 눈이 휘둥그레지며 잠시 멈칫했다.
"내가 아름답지 않다고?"
요정은 날갯짓을 하며 날아올라 나의 얼굴 바로 앞에까지 왔다.

"아저씨는 정말로 이상한 사람이구나."
"창작을 한다는 사람이 내가 아름답게 보이지 않는다니…"
그때 요정의 눈에 나의 하얀 백지 상태의 모니터가 비쳤다.

"역시……그랬던 거구나. 하긴 그래서야 단 한 문장도 쓸 수가 없지. 나의 아름다움을 알지 못하는 사람은 창작을 할 수가 없어."
요정은 나를 쳐다보면서 말을 이어 나갔다.

"타인의 그림을 보면서 아름다움을 느끼는 사람들은 전시장을 찾아다니면서 그림들을 감상할 거야."
"그림을 보면서 아름다움을 느끼지 못한다면 굳이 전시장을 찾아갈 이유가 없겠지."

"그래, 그렇겠지."

나는 의기소침해진 목소리로 대답했다.

"또 노래를 들으면서 즐거움을 느끼는 사람들은 콘서트장을 찾아다닐 거야."

"그리고 글을 읽으면서 즐거움을 느끼는 사람들 역시 서점을 찾아다니면서 문학의 아름다움에 흠뻑 취할 거라고."

"타인에게서 아름다움을 느끼는 사람들은 그들을 쫓아다니기 마련이야."

"그렇게 그들은 보는 사람, 듣는 사람, 읽는 사람이 되는 거야. 아름다움에 취한 사람들이 되는 거지."

"그런데 그들 중에서 극히 일부는 그 아름다움이 자신의 안에도 있음을 깨닫게 되지. 그렇게 자기 안에서 아름다움을 발견한 사람들은 어떻게 될 거 같아?"

고개를 갸우뚱거리고 있는 나를 향해서 요정은 이야기했다.

"그들은 필연적으로 자기 복제의 충동을 느끼게 될 거야."

"자신의 아름다움을 느끼지 못하는 사람들은 자기 복제를 할 수가 없어."

"그렇게 그들은 그리는 사람, 부르는 사람, 쓰는 사람으로 변태 과정을 거치게 돼. 이들은 아름다움에 취한 사람들이야.

그리고 이게 창작자가 탄생하는 과정이지."

요정은 다시 한번 남자의 눈을 빤히 쳐다보면서 말을 이어 나갔다.

"아저씨도 칼릴 지브란의 시나 『레미제라블』을 읽으면서 감동을 받던 사람에서 어느 순간 자신 안에 숨어 있던 아름다움을 발견한 사람이 되었을 거야. 그렇게 자기 안의 아름다움을 복제하고 싶은 충동을 이기지 못해서 아저씨는 지금 컴퓨터 앞에 앉아서 글을 쓰려는 거라고."

"그런데 이제 와서 자신의 아름다움을 부정하는 이유가 뭐야?"

"왜 단 한 줄도 쓰지 못하고 있는 거냐고?"

요정의 말을 가만히 듣고 있던 나는 천천히 입을 열었다.

"나는 정식으로 문학 교육을 받지 못했어. 매뉴얼을 알지 못한다고. 이렇게 글을 써도 되는 건지 의문이 자주 들어. 글을 쓰는 방법이 이게 맞는 건지 모르겠다고. 이러다가 사람들의 비웃음을 얻게 되면 어떻게 하지?"

요정이 말을 했다.

"그래. 그런 거였구나. 그렇지만 지금 아저씨를 가로막고 있는 것은 자신의 작품을 혹시나 비웃게 될지도 모를 사람들이 아니야. 창피함을 감당할 자신이 없는 아저씨가 스스로를 가로막고 있는 거라고. 일단 시작하는 것이 중요해. 형태는 중요하지 않아. 그건 본질적인 것이 아니야. 사람들이 비웃을까 두려워 시작부터 망설이지 말고 처음에 화끈하게 비웃음을 받고 시작하자고 생각해 봐. 일단 겁 없이 시작하고 최선을 다해서 마무리를 지어. 그게 중요해. 그러고 나면 나중에 전문가라고 불리는 사람들이 아저씨의 글을 어떠한 카테고리 안에 넣어 줄 거야. 그리고 만약에 비웃음을 사게 되더라도 두 번째 쓰는 아저씨의 글은 훨씬 더 세련되어질 거야."

요정은 제자리에서 한 바퀴 빙그르르 돌고 나서 옅은 미소를 얼굴에 띤 채 다시 말을 이어 나갔다.

"수없이 많은 사람들이 겁이 나서 시작도 하지 못해. 그리고 시작한 사람들 중에서도 많은 사람들이 마무리를 짓지 못해. 일단 시작한 다음에 마무리만 지어 봐. 그렇게만 해도 상위 10% 안에 들어갈 수가 있다고."

"……."

"어때? 해볼 만하지 않아?"

"……."

"사실 결과는 상관없어."

"결과가 어떨까에 대해서는 너무 신경 쓰지 마. 아저씨가 최선을 다하기만 했다면 된 거야. 최선을 다했던 노력은 결과에 상관없이 본인의 성장을 위한 거름이 되어 줄 거니까."

나는 고개를 끄덕였다.

요정은 들리지 않는 작은 목소리로 중얼거렸다.

"최선을 다했는데 결과가 좋지 않을 리가 없잖아. 운이 따라 주지 않았든지, 가시적으로 드러난 성과가 없었든지 간에 상관없이 최선을 다했다면 분명히 어떠한 형태로든 좋은 결과는 나오는 거야."

4. 동반자를 찾다

나는 글을 쓰다가 문득 궁금증이 생겨서 요정에게 물어봤다.

"꼬마야. 글을 쓴다는 것은 무엇이지?"

요정은 잠시 나를 쳐다보다가 웃으면서 이야기했다.

"그건 일종의 구애 행위와도 같은 거야."

"구애 행위?"

"그래, 맞아. 구애 행위, 너의 동반자들을 찾는 행위야."

"동반자를 찾는다고?"

"그래. 이 드넓은 우주에서 너와 같은 영혼의 파장을 지닌 동반자들을 찾는다는 거야."

"글을 쓴다는 것은 너 자신을 복제하는 거야."

"글에는 네가 담기게 된다고. 이건 어쩔 수가 없는 거야."

"네가 아무리 위장하고 아닌 척하려고 해도 네가 쓴 글에는 너 자신이 담길 수밖에 없어. 자신의 문체는 일종의 지문과도 같은 거야.”

“아저씨는 책이 뭐라고 생각해? 책은 단순히 생각의 공유를 위한 것만이 아니야. 저자가 자기 자신을 세상 밖으로 내보내는 거라고. 그리고 거기에 이끌린 동류의 사람들이 모여드는 거란 말이야. 댄스 가수의 콘서트장에 가보면 들뜬 표정으로 신나는 것을 갈구하는 사람들이 가득 찬 것을 볼 수가 있을 거야. 헤비메탈 그룹의 콘서트장에 가보면 기존 사회 체계에 불만을 가진 사람들이 많이 모여 있는 걸 볼 수 있어. 한편 몽환적인 음악을 하는 가수의 콘서트장에는 세상 우울한 사람들이 다 모여 있다고. 그 뮤지션들은 음악 속에 자신을 복제해 낸 거야. 그리고 그들과 같은 영혼의 파장을 지닌 자들을 불러들인 거야. 이 광활한 우주에서 저들은 음악이라는 매개체를 통해서 서로가 동류인 것을 알아내고 모인 것이지. 함께하는 동안에는 적어도 외로움은 잊게 될 거야. 이건 정말이지 아주 멋진 일이야.”

요정은 살짝 흥분된 표정으로 가슴을 들썩이고 있었다.

“아무런 가식 없이 글 속에 자신을 복제해 내 봐. 만약에 아저씨가 성공한 작가가 된다면 책 사인회에서 아저씨는 자신과 같은 영혼의 색깔을 가진 사람들의 수많은 눈동자들을 마주 보게 될 거라고. 그리고 그들과 이 고독한 인생길을 함께하게 될 거야. 그들은 아저씨의 다음 작품을 기다리며 응원을 할 거라고."

"아, 그건 정말 멋진 일이구나! 고마워."

5. 불가항력에 대한 대처법

나는 책상에 앉아서 계속해서 글을 쓰고 있었다.

요정은 방 한구석에 앉아서 다리를 꼬고 양손으로 머리를 받치고 누워서 나를 바라보고 있었다.

나는 두통이 일었다. 자리에서 일어나 문 쪽으로 다가갔다.

"응? 뭐 하는 거야. 이 밤중에 어딜 가는 거야?"

요정이 나에게 물었다.

"머리가 아파서 더 이상은 안 되겠어. 바람을 좀 쐬고 와야겠어. 너는 집에서 기다리고 있어. 나 혼자서 다녀올게."

나는 차 키를 들고 문밖으로 나갔다.

차의 시동을 걸고 라디오를 켰다. 그리고 운전석 창문을 내린 뒤 담배에 불을 붙였다.

담배 연기를 깊숙이 들이마신 뒤 나는 어두운 시골길을 내달리기 시작했다. 딱히 목적지가 있는 것은 아니었다.

늦은 밤, 시골길을 차를 타고 달리는 것은 내가 알고 있는 최고의 휴식 중의 하나였다.

고속 도로는 안 된다. 너무 밝기 때문이다. 너무 밝은 도로에서는 생각에 깊이 빠져들기 어렵다.

적당히 어둡고 적당히 구불구불한, 오고 가는 차들이 적은 도로여야 한다.

적당히 어두운 가운데 드문드문 있는 가로등이 하나씩 나의 눈 속으로 빨려 들어왔다.

머릿속의 복잡했던 생각들이 하나둘씩 정리되기 시작한다.

쓸모없는 정보들은 내다 버리고 중요한 정보들을 머릿속에 차곡차곡 쌓아 가고 있었다.

일종의 명상이었다.

나는 힐링하고 있었다.

한 번씩 라디오에서 생각할 거리도 던져 준다.

한 여자 가수가 나와서 자기소개를 한다.

그리고 진행자와 이런저런 이야기들을 주고받다가 운전을

하면서 힐링을 하고 있는 나에게 오늘의 화두를 던져 준다.

“제가 슬픈 이별 노래를 작곡가에게서 받았는데 아무리 노래를 불러 봐도 그 감정을 모르겠는 거예요.”
“어쩔 수 없이 연인과 헤어진 그 슬픈 감정을 알 수가 없어서 제가 그때 만나고 있던 남자 친구에게 이별을 통보했었어요. 노래에 감정을 싣기 위해서 그렇게 했던 거죠.”

아………….
나는 라디오를 끄고 창문을 올려서 소음을 차단했다.
외부 세계와 서서히 차단되며 나는 생각 속에 빠져든다.
‘노래에 슬픈 이별의 감정을 싣기 위해서 잘 만나고 있는 남자 친구에게 이별을 통보한다? 그렇게 해서 자신의 노래에 감정을 싣는다?’

‘음…… 이별의 감정을 어느 정도 흉내는 낼 수 있겠지만 그건 가짜야. 진짜 사랑이 아니잖아. 정말 사랑이 아닌데 노래에 애절한 감정이 실릴 수가 없지. 자신의 노래를 위해서 연인을 이용한 거잖아. 그 정도밖에 안 되는 사이였던 거지. 딱 그 정도의 감정만 노래에 실리겠네. 진짜 감정을 노래에 실으려면 어떻게 해야 하는 걸까? 그건 본인의 노력 여하에 따라서 달라지는 게 아닐지도 몰라. 아마도 자신이 컨트롤할 수 있는 영역이 아닌 것 같아. 그건 마치 운명처럼 주어지는 걸 거야. 하지만 그건 정말 슬픈 일일 거야. 노래 따위는 아무래도 상관이 없다, 노래에 감정을 실어야 한다느니, 내 꿈이 내 직업이 가수니, 그딴 거는 아무 상관이 없다, 나는 이 사람만 있으면 된다, 이 사람과 함께 꿈꾸고 같은 곳을 바라보며 함께 나아가고 싶다, 불완전한 나는 너를 만나서 비로소 완전해졌다, 나는 지금 정말 행복하다, 이러한 상황에서 어떠한 이유로 이별하게 된다면 노래에 완전한 감정을 실을 수가 있게 되겠지. 가수로서는 축복이고 한 인간으로서는 비극이지. 이건 운명처럼 주어지는 거야. 자신이 노력한다고 되는 게 아니야. 자신이 컨트롤할 수 없는 영역에서 슬픈 일이 운명처럼 날아와서 자신을 강타한다라? 정말 끔찍한 일인데? 이런 경우에는 어떻게 대처를 해야 하는 걸까…………? 이건 어떻게 할 수 있는 것이 아니구나. 그냥 무덤덤하게 맞아야 하는 거구나. 운명이란 녀석에게 강력하게 한 방 맞은 다음에 잠깐 아파했다가 슬픔을 너무 오래 붙잡고 있지는 말고 다시 일어나서 자신이 해 오던 일, 해야 할 일을 무심하게 계속 해 나가는 수밖에 없구나. 인간의 능력 밖의 슬픈 운명이란 녀석은 그렇게 상대하는 수밖에 없구나.'

생각을 정리한 후 잠시 사색의 맛을 음미하던 나는 또 다른 화두를 던져 주지는 않을까? 하는 기대감에 다시 라디오를 켰다.

모두가 잠든 새벽 시간.

아무도 다니지 않는 시골 도로에서 나를 태운 차는 운행하고 있었다.

나는 지금 힐링 중이다.

6. 나처럼 산다

글을 쓰고 있는 나에게 요정이 물었다.
"아저씨. 아저씨는 어떤 인생을 살아왔어?"
"어떤 인생을 살아왔냐고? 뭐라고 말을 해야 할까…… 그래, 남들처럼 살지 않은 것은 확실해."
"왜 남들처럼 살지 않았어?"
"나는 그들이 아니니까. 그들처럼 살지 않은 것뿐이야. 나는 그냥 나처럼 산 것뿐이야."

"나처럼 산 것뿐이라고?"
요정은 흥미롭다는 표정을 지었다.
"나처럼 산다는 것은 어떤 거야?"

"그건 말이지. 내가 길을 걷고 있는데 앞에 두 갈래 길이 나왔어. 어느 쪽으로 갈까 고민을 하다가 왼쪽 길로 가 볼까 생각하고 있는데 세상 사람들이 나더러 오른쪽 길로 가지 않으면 안 된다고 겁을 주는 거야. 오른쪽 길로 가지 않으면 큰 일이 난다고. 다른 사람들도 다 오른쪽 길로 가고 있지 않냐고 말을 할 때 내가 가고 싶었던 왼쪽 길로 가는 거야. 그게 나처럼 사는 거야."

"아.. 그렇구나. 그렇다면 자신이 오른쪽 길로 가고 싶어서 오른쪽 길로 간다면 그것 또한 괜찮은 거구나."

"맞아. 나처럼 산다는 게 꼭 남들과 다르게 산다는 것을 의미하지는 않으니까. 평범하게 살기를 본인이 원한다면 그게 나처럼 사는 거야. 어떻게 사느냐가 아니라 자신이 원한 대로 사는 건지 세상의 보통의 흐름에 맞춰 사는 건지가 중요해. 나는 그냥 내가 원했던 삶이 일반적이지 않았던 것뿐이야."

7. 본질에 대하여 묻다

나처럼 산 것뿐이라고 요정에게 이야기를 하던 나는 어떤 삶을 살아야 할지 처음으로 고민했었던 어린 시절의 기억이 떠올랐다.

마당이 있는 'ㄱ'자 모양의 단층 주택에서 이제 막 8살이 된 조그마한 나에게 엄마가 말했다.

"이제 학교를 가야 한단다."

"학교가 뭐야? 거기는 왜 가야 해?"

"......남들도 다 가는 곳이란다. 너도 가야 해."

학교에 가서 내 자리에 앉아 있는데 선생님이 들어오셨다. 간단하게 자기소개를 하신 선생님은 수업을 시작하셨다.

가르치고 설명하신 다음에 익히라고 하셨다. 지금 가르치고 계신 과목이 무엇인지. 왜 알아야 하는 것인지는 설명을 해

주지 않으셨다. 그냥 외우라고 하셨다.

어른들은 아이들에게 친절하게 설명을 해 주지 않는다.
지금 생각해 보면 사실 엄마도 선생님도 몰랐던 거다.
왜 학교를 가야 하는지. 왜 공부를 해야 하는지. 정확한 이유를 모르셨던 거다.

본질을 모른다는 말이다.

아이들은 항상 부모에게 왜? 왜? 왜? 라고 묻는다.
어른들은 그것을 귀찮게 생각하고 대충 얼버무리려고 한다.

사실 그것은 아이들이 어른들을 가르치고 있는 것이다.

어른들은 왜 당연한 것을 물어서 사람을 귀찮게 하는 것이냐고 생각을 하지만 아이들은 지금 본질에 대해서 묻고 있는 것이다.

아이들은 어른들에게 본질에 대해서 묻고, 어른들은 아이들의 유연한 머리에 고정 관념을 때려 박는다.

그렇게 아이들의 뇌는 딱딱하게 굳어가면서 어른이 되어 간다.
초등학교 1학년 첫 수업이 '공부를 해야 하는 이유'였다면 나는 지금 학자가 되어 있을지도 모른다.

8. 설득보다 단호한 태도

그렇게 초등학교 첫 수업에서 공부에 대한 흥미를 잃어버린 나는 엄마에게 학교를 다니지 않겠다고 말했다.

그렇다. 초등학교 1학년 아이가 학교를 며칠 다니고 나서는 엄마에게 학교를 가지 않겠다고 말하고 있는 것이다.

엄마는 나에게 항상 자상했다. 언제나 내 편을 들어주셨고, 내가 원하는 것은 모두 이루어 주려고 애써 주셨기 때문에 이번에도 나는 엄마가 "그래. 학교를 가지 말거라."라고 말할 줄 알았다.

하지만 엄마의 얼굴은 적들을 모조리 도륙 내는 용맹한 장수의 얼굴처럼 되어 있었다.

아직도 그때의 엄마의 얼굴이 잊혀지지가 않는다.

8살의 나는 생애 처음으로 생존의 위협을 느꼈다.

곧 진정을 찾은 엄마는 나에게 학교를 다녀야 하는 이유에 대해서 계속 설명을 하고 있었지만, 나의 귀에는 엄마가 하는 설명의 내용은 들어오지가 않았다.

다만 엄마의 단호한 태도, 강력한 의지만이 느껴졌을 뿐이다. 나는 이미 받아들이고 있었다. 학교를 계속 다녀야 한다는 것을.

엄마가 하는 말에 설득당한 것이 아니라, 엄마의 단호한 태도에 제압당한 것이다.

또 다른 의미로 엄마는 나를 설득한 것이 맞다.

엄마의 의지를 나에게 관철시켰으므로.

스스로 판단을 내리고 자신의 의지를 관철할 수 있을지 상대의 눈치를 살피는 사람에게는 설명보다는 단호한 태도를 보여 주는 것이 낫다.

나의 엄마처럼 말이다.

9. 고정 관념의 주입

엄마에게 설득당한 나는 얼마나 오랫동안 학교를 참으면서 다녀야 하는 것인지 의문이 생겼다.

"엄마 초등학교는 얼마나 다녀야 해요?"

굴복당한 나를 엄마는 예전의 인자한 얼굴로 대했다.

"6년이란다."

"생각보다 길구나. 6년이라. 음……"

"6년만 다니면 이제 학교를 다니지 않아도 되는 거죠?"

"중학교를 가야 한단다."

'중학교는 또 뭐지?'

"중학교는 얼마나 다녀야 해요?"

"3년이란다."

"중학교만 다니면 끝인가요?"

"고등학교를 가야 한단다. 3년."
무엇인가 잘못돼 가고 있었다.
"그리고요?"
"대학교 4년."
"또 있나요?"
"군대 3년. 그리고 취직을 하고 결혼을 해야 한단다."

'뭐지, 이건?'
'내 인생이 정해져 있잖아? 나는 동의한 적이 없다고.'
"왜 그래야 해요?"
"남들도 다 그렇게 산단다."

역시 엄마는 왜 그래야 하는지 모르고 계셨다.
나는 본질에 대해서 물었고 엄마는 나에게 고정 관념을 심어 줬다.

10. 재미가 있어야 한다

학교 수업에 흥미를 잃어버린 나에게 정규 교육 12년은 너무나 가혹한 것이었다.

살아남을 방법을 찾아야 했다.

'이 길고 긴 수업 시간을 어떻게 보내야 하나?'

그러나 이 고민도 그렇게 오래가지는 않았다.

나는 이미 수업 시간에 사색을 하고 있었다.

나의 머릿속에서는 온갖 상상의 나래들이 펼쳐지고 있었다.

선생님에게 혼날 일은 없었다.

나의 두 눈은 수업을 하는 선생님을 똑바로 응시하고 있었다.

참 이상한 학생이었다.

조용했고 엉뚱한 사고를 치는 일도 없었고 수업 시간에 선생님을 똑바로 응시하고 있는데 성적이 좋지는 않은 이상한 학생이었다.

중학교 1학년 때 담임 선생님은 그런 나의 이상한 점을 발견하고서는 처음으로 나를 분석하려고 시도하셨다.

수업 시간에 설명을 하시다가 나를 보고서는 고개를 갸우뚱거리시더니, 방금 설명한 내용에 대해서 나에게 물어보셨다.

머릿속으로 다른 생각들을 하고 있었던 나는 물론 대답을 하지 못했다.

선생님은 이상하다는 표정을 지으시더니 다시 설명을 하시다가, 시선만 선생님께 고정한 채 영혼은 다른 곳에 두고 있는 나에게 두 손을 휘휘 저어 보이시고는 했다.

'아이참, 선생님 사색하고 있는데 방해하지 마세요. 선생님의 할 일을 하세요. 저는 제가 할 일을 할게요.'라고 생각을 하는 나였다.

다산 정약용 선생이 전남 강진에서의 18년의 유배 생활 동안 『목민심서』, 『흠흠신서』, 『경세유표』 등 500여 권의 책을 저술했듯이, 나는 12년의 정규 교육 과정 유배 중에 사색을 통한 생각의 힘을 길렀다.

수업 시간에 사색을 한 이유는 그게 재미있었기 때문이다.

어렸을 때부터 나는 사색하는 것을 좋아했다.

길을 걷다가도 생각할 거리가 떠오르면 인도에 쭈그리고 앉아서 한참을 생각을 하고는 했었다.

왜 그런지 이유는 잘 모르겠지만 혼자만의 시간에 사색을 하는 것은 참 재미가 있었다.

사람은 자신이 좋아하는 것, 재미있어 하는 것을 하기 마련이다. 재미가 없으면 하지를 않는다.

무조건 재미가 있어야 한다.

재미가 없어도 자신의 미래를 위해서 참고 인내하면서 어떠한 일을 해 나가는 사람이 있지 않느냐고 누군가는 반문할지도 모른다.

그 사람은 참으면서 일을 해 나가는 과정 중에 재미를 느끼는 거다.

조금씩 자신의 미래를 위한 준비가 완성되어 가는 모습을 보면서 재미를 느끼는 거다.

수업 시간에도 모든 학생들은 재미를 찾고 있다.

공부가 재미있는 학생들은 선생님의 수업을 집중해서 듣고, 친구들과 노는 것이 재미있는 학생들은 선생님의 눈을 피해서 장난을 친다.

그리고 사색하는 것이 재미있는 나는 사색을 한다.

재미가 없으면 하지를 마라.

좋아하는 일을 해야 할지 잘하는 일을 해야 할지 고민되는 경우가 있다.

무조건 좋아하는 일을 해라.

얼마 지나지 않아서 잘하게 될 거다.

11. 이상한 사회

어느덧 나는 고3이 되었다.

출소일이 코앞으로 다가왔다는 의미이다.

이제 조금만 더 있으면 남 눈치를 보면서 사색하는 것도 끝이다.

대학 수학 능력 시험을 보러 갔다. 한국 사람으로서 당연히 할 줄 아는 언어 영역을 제외한 모든 과목을 찍었다.

수업 시간에 사색만 했고 아는 게 없었던 나는 모든 문제를 다 찍었다. 400점 만점에 170점 정도가 나왔다.

그나마 언어 영역이 선방을 해줬기 때문에 나온 점수였다.

엄마가 대학을 가라고 했다.

"훗, 엄마 말이 되는 소리를 하세요. 이 점수로 갈 수 있는 대학이 있을 리가…"

있었다. 아주 많이 있었다.

이 나라는 정상이 아니다.

공부를 해야 하는 이유에 대해서 알려 주지도 않고 공부에 흥미가 없는 아이들도 12년 동안 질질 끌고 다니고, 수학 능력이 없는 아이들도 대학에 갈 수가 있다.

이상한 교육 시스템 덕분에 수학 능력이 없던 나는 대학교(大學校)에 들어갔다.

사회는 나에게 말하고 있었다.

"너는 이제 성인이다."

"스스로 판단하고 스스로 결정해라."

"자유 의지, 무한 경쟁, 자기 책임을 기억해라."

나는 좀 짜증이 났다.

어린애 취급을 하다가 하루아침에 나더러 어른이라고 한다.

나는 스스로 결정하고 책임지는 법을 배운 적이 없었다.

제도상으로는 어린아이에서 성인이 되었지만, 여전히 진짜 어른들은 나를 어린애 취급을 한다.

스무 살짜리가 뭘 아냐고 한다.

하지만 나는 술을 마실 수도 있고 담배를 피울 수도 있으며 선거에서 투표권을 행사할 수도 있었다.

법적으로 완전한 성인이면서 사회적으로는 어린애 취급을 받는 이상한 존재였다.

어른이 되는 법은 배운 적이 없었다.
내가 생각해도 나는 어른이 아니었다.

언제 나는 진짜 어른이 되는 걸까?
얼굴에 주름살이 조금 더 생겨야 하나?

'어떻게 해야 진짜 어른이 되는 걸까?'라는 생각을 하면서 대한민국은 진짜 이상한 사회라고 생각하는 나였다.

12. 모든 사람들이 특별하다

1998년 겨울이었다. 군대를 갔다.
힘들 거라고 생각은 했지만, 누구나 가는 곳이었다.
또 누구든지 갔다가 거의 대부분은 무사히 돌아오는 곳이었다.
그렇기 때문에 나 역시 군대를 다녀오는 것은 별문제가 없을 것이라고 생각했다.

미숙한 사람들은 자신을 과대평가하고 타인들은 과소평가하는 경향이 있다.
자신이 남들보다 더 많은 역경을 겪으며 살아왔다고 생각한다.
자신이 남들보다 정신력이 더 강하다고 생각한다.
자신이 남들보다 더 현명하다고 생각한다.

미숙한 사람들의 특징이다.

1998년 겨울, 21세의 나는 미숙했다.
때문에 나보다 열등한 존재들인 타인들도 무사히 다녀오는 군대가 나에게는 별문제가 되지 않을 것이라고 생각했다.

하지만 이러한 생각은 오래가지 않았다.
아랫배에 힘을 주고 이를 악물어야지 맞을 때 안 다친다는 사실을 알려 주던 친절한 최 상병을 보고 나서, 또 사람이 뛰어서 이단 옆 차기를 맞으면 벽에 부딪치고 나서 반발력으로 다시 튕겨 나올 수 있다는 것을 두 눈으로 목격하고 나서, 그리고 맞지 않은 날은 '오늘은 집합이 없나?'라는 생각에 쉽사리 잠들지 못하면서 나의 생각은 바뀌었다.

'특수 부대도 아니고 해병대도 아니고 일반 육군 보병이 이렇게 힘들다고? 이걸 다들 한다고?'
'해피라는 이름의 똥개를 키우던 복덕방 할아버지도, 매일 저녁 소주를 마시던 다소 어눌해 보이던 슈퍼마켓 아저씨도 이걸 다 했었다고?'
심지어 그분들은 36개월을 복무하셨었다.

이때 나는 일반적이라고 평범한 것은 아니라는 진리를 깨달았다.
일반적이지만 얼마든지 특별할 수가 있다.
누구나 가는 군대이지만 군대를 가는 대한민국 남자들은 평범한 희생을 하고 있는 것이 아니다.
그들은 나라를 위해서 아주 힘든, 특별한 희생을 하고 있다.
수많은 어머니들이 임신, 출산, 육아를 하고 있지만 그것은 평범한 일이 아니다.
아주 힘들고 자신을 희생해야 하는 일이다.
10달 동안 힘들게 몸을 끌고 다녀야 하고 출산 이후에는 아이에게서 한순간도 눈을 뗄 수가 없다.

수많은 아버지들이 직장을 다니고 가족을 부양하기 위해서 노력하고 있다.
그것 또한 절대로 쉬운 일이 아니다.
그들은 매일 가정 안에서 상처를 치유하고 나서 다시 전쟁터로 나선다.

이 세상은 특별한 것들 투성이였다.
모두가 특별했고 힘들게 노력하고 희생하며 살고 있었다.
그 아름다운 노력들이 이 사회를 지탱하고 있었다.

내 마음속에서 타인에 대한 존경심이 자라나기 시작했다
1999년 겨울, 22세의 나는 조금 성숙해지고 있었다.

13. 해 보기 전에는 알 수 없다.

군대를 전역하고 학교에 복학을 했다.

아버지가 회사에서 정리 해고를 당하셨다.

집안 살림이 급격하게 어려워지기 시작했다.

나는 학교를 졸업하기 위해 성적 우수 장학금을 받아야만 했다.

'아……공부를 해야 하나?'

'재미없는 거는 하기 싫은데.'

성적 우수 장학금을 받기 위해서 어쩔 수 없이 나는 강의 시간에 교수님의 말씀에 집중했다.

교수님의 설명이 이해가 되면서 교재의 내용이 머릿속에서 정리가 되었다.

순간 머릿속에서 작은 폭죽 하나가 터지는 느낌이 들었다.

도파민이 터져 나왔다.

'뭐지 이건?'

'왜 재밌어?'

'공부가 재미있는 거였어?'

이때부터 공부에 미치기 시작했다.

지난 세월 동안 속고 있었다는 생각이 들었다.

공부가 재미있는 거라고는 생각하지 못했다.

학교 선생님들은 지금 공부 1시간을 더하면 미래의 마누라 얼굴이 바뀐다고 말을 했다.

더 나은 미래를 위해서 지금은 참고 버텨라.

사당오락이다, 대학에 가면 실컷 놀 수 있다.

이런 식으로 지금은 무조건 참고 버티면서 더 나은 미래를 위해서 공부하는 거라는 식으로 얘기들을 하셨었다.

나는 우등생이라고 불리던 학생들을 보면 이해가 가지 않았다.

'더 나은 미래를 위해서라고는 하지만 이 재미없는 거를 참으면서 할 수가 있다고? 어떻게 그럴 수가 있지?'

그런데 아니었다.

그 친구들도 재미가 있으니까 한 거였다.

공부 그 자체에서 재미를 느꼈던지.

아니면 성적이 잘 나오면서 선생님으로부터 인정을 받고 부모님과 사회로부터 인정을 받고 자신의 자존감이 높아짐으로써 재미를 느꼈든지.

아무튼 재미가 있었으니까 한 거였다.

무조건 인내하면서 버틴 것은 아니었다.

맛있는 음식을 먹고 모바일 게임을 하는 것이 일차원적인 재미라면, 이건 단지 고차원적인 재미였다.

둘 다 재미있는 것이라는 점에서는 마찬가지였다.

'어쩐지 이상하다 했었네.'

'그러면 그렇지. 재미가 있으니까 한 거였지.'

이때 나는 무엇이든지 간에 자신이 직접 해 보기 전에는 알 수 없다는 사실을 깨달았다.

지금 자신의 앞에 있는 어떠한 일이 궁금하다면 직접 해 보는 게 좋다.

남들이 뭐라고 하든지 간에, 검색에 뭐라고 나오든지 간에 자신이 직접 집중해서 해 봐야지 정확하게 알 수가 있다.

그리고 누군가의 행동이 이해가 가지 않는다면 자신이 직접 그 일을 해 봐야 한다.

그러면 그 사람을 이해할 수 있을 것이다.

14. 나를 가로막는 것은 나 자신이다.

공부 한 글자 하지 않고 지방 대학에 입학한 다음 공부에 눈을 떠 버린 나는 이제 세상의 편견과 싸울 차례였다.
“공부가 재미있어요. 무슨 무슨 공부가 하고 싶어요. 어떠한 자격증을 한번 따 볼까요?” 따위의 말을 할 때마다 부모님으로부터 냉담한 반응이 돌아왔다.

“니가?”
그냥 조용히 졸업하고 취직을 하라고 했다.
분한 마음이 들었다.
내가 무엇인가를 열심히 해 보겠다고 말을 하고 있는데 나를 믿어주지 않았다.

지금의 나는 과거의 나와는 전혀 다른 사람이다.

마음가짐이 바뀌었기 때문이다.
그런데 나와 가까운 사람들은 나의 진심을 알아주지 않는다.

예전부터 나를 알고 있었던 사람들은 "니가 무슨 공부를 한다고 그러냐?"라는 반응을 보이는 반면에 내가 공부가 재미있는 것이라는 것을 알고 난 다음에 나를 알게 된 사람들은 "너는 왜 이 대학교에 들어왔냐?"라는 반응을 보인다.
공부를 잘하는데 왜 이 대학교에 들어왔느냐는 말이었다.
재밌다. 이것조차 재미가 있었다.
'이것이 바로 편견이라는 거구나.'
'나는 세상의 편견과 싸워야 하는 거구나.'
세상에는 많은 편견들이 있다.
성별, 인종, 종교 등과 같이 자신의 귀책사유 없이 생긴 편견이 있는가 하면 자신이 만들어 놓은 편견도 있다.
과거의 자신의 행동들이 차곡차곡 쌓여서 만들어진 자신의 이미지가 바로 그것이다.

나의 경우에는 후자였다.
나는 세상의 편견과 싸워야 하는 것이 아니었다.
과거의 나와 싸워야 하는 것이었다.
공부가 재미있는 것인 줄 몰랐던 과거의 내가 공부에 재미를 느낀 현재의 나를 가로막고 있었다.

다른 사람들이, 세상의 편견이 나를 막아서고 있는 것이 아니었다.

혹시 지금 새로운 마음으로 무엇인가를 열심히 해보려고 하는데 주변 사람들이 알아주지 않는가?

나는 진짜 잘할 수 있는데, 열심히 최선을 다해서 할 건데 세상이 믿어주지 않는가?

당신의 마음을 알아주지 않는다고 분해 하지도 억울해 하지도 마라.

당신을 가로막고 있는 것은 주변 사람들이 아니라 과거의 자기 자신이다.

과거의 당신의 행동들은 현재의 당신의 이미지를 만들어 놓았고 지금 당신이 하는 행동들은 미래의 당신의 이미지를 만들어 나갈 것이다.

억울해 하지 말고 그냥 묵묵히 행하면 된다.

과거에 쌓아 놓은 당신의 행동들이 지금 당신을 해하고 있듯이 지금부터 쌓아 나갈 당신의 노력들은 미래의 당신을 도와줄 것이다.

15. 후회라는 건 없다

요정이 나에게 질문을 했다.

"아저씨는 원하는 대로 자신의 삶을 살아보니까 어땠어? 혹시나 후회하고 있지는 않아?"

"원하는 삶을 살았는데 어떻게 후회가 있을 수 있겠어. 다만 창피하거나 실패했던 적은 많지."

"응? 그게 무슨 말이야???"

"말 그대로야."

"창피했던 적과 실패했던 적은 있지만 후회하고 있지는 않아."

"재미있는 말인 거 같아. 창피했고 실패했던 일들을 후회하지 않는다는 말이잖아? 보통 창피했던 일들 실패했던 일들은 후회를 하는 게 맞지 않아?"

"지나간 일을 창피하다고 느끼는 거는 일단 내가 성장을 했다는 거야. 가만히 예전 기억들을 떠올려 보면 얼굴이 붉어지고 자려고 누웠다가 이불을 걷어차고 할 정도로 부끄럽다고 느낀 적이 많이 있어. 그때는 내가 왜 그랬을까? 정말로 미숙하고 어렸었구나라고 생각을 하지. 참으로 부끄러운 기억들이지만 후회할 일은 아니야. 그것들은 다 과정이거든. 나라는 인격체가 완성되어 가는 과정에서 어쩌면 꼭 필요한 일들이었을지도 몰라. 그리고 실패가 많았다는 거는 도전이 많았다는 거야. 도전했던 일들이 많았으니 실패했던 일도 많은 거지. 도전을 많이 한다는 거는 자신의 인생을 사랑한다는 의미야. 나는 나의 한 번뿐인 인생을 정말로 사랑했기 때문에 계속 도전하고 있었던 것뿐이야. 또 후회를 한다는 것은 과거의 나의 결정, 행동을 번복하고 싶다는 의미야. 자, 한번 보라고. 이 중에서 바꾸어야 할 것들이 있어? 나를 성장시킨 부끄러운 일들, 많은 도전을 해서 생긴 실패들. 이 중에서 바꾸어야 할 일이라는 건 없어. 후회할 일은 전혀 없는 거지."

16. 지금 알고 있는 것을 그때도 알고 있었더라면

요정이 나에게 말했다.
"아저씨의 이야기를 듣고 있다 보니까 생각난 말이 있어."
"그게 뭔데?"

"지금 알고 있는 것을 가지고 과거로 돌아갈 수 있다면. 보통 사람들은 이런 상상을 많이 해. 내가 지금 알고 있는 것을 그대로 가지고 과거로 돌아갈 수만 있다면 어땠을까? 그럴 수만 있다면 도전 과정에서 생긴 실패들을 줄일 수가 있었을 거라는 생각들을 많이들 하거든. 아저씨는 여기에 대해서 어떻게 생각해?"

"예전에는 나도 그런 상상들을 많이 해 봤어. 내가 지금 알고 있는 것들을 가지고 예전으로 돌아갈 수 있다면 어땠을까? 이런 상상들을 많이 해 봤어. 하지만 지금은 그런 생각을 전혀 하지 않아. 쓸모없는 생각이라는 것을 깨달았거든."

"응? 왜 그게 쓸모없는 생각이야?"

"자. 한번 가만히 상상을 해 봐. 지금 알고 있는 것들을 가지고 예전으로 돌아간 내가 보여. 과거로 돌아간 나는 부지런히 이런저런 일들을 하면서 돌아다니고 있어. 과거로 돌아간 나는 과연 무엇을 그렇게 열심히 하고 있었을까?"

"글쎄?"

"과거의 내가 실수한 흔적들을 지우는 일에 열중하고 있어. 보통 과거로 돌아간 사람들은 자신의 실수를 지우기를 원해. 실수가 없는 인생, 시행착오가 없는 완벽한 인생을 만들고 있는 내가 보여. 정말 퍼펙트한 엘리트 인간을 만들어 내고 있는 내가 보여. 지금 알고 있는 것을 가지고 과거로 돌아간 나는 과연 도대체 무슨 짓을 하고 있는 걸까?"

"……."

"자, 과거로 돌아간 내가 만들어 낸 나의 모습을 한번 보라고. 아무런 실수도 없이 엘리트 코스를 착착 밟아나가서 사회 지도층 인사가 된 내가 보여. 과연 나는 과거의 나에게 무슨 짓을 한 걸까?"

"성공한 바보로 만들어 버린 거라고. 실패 없이 성공한 사람이라는 건 정말 끔찍한 거야. 육체는 운동으로 단련하고 정신은 실패와 역경으로 단련하는 거야. 과거로 돌아간 나는 나를 단련해 준 실패와 역경을 지워 버린 거라고. 정신을 바보로 만들어 버리고 부와 명예를 안겨 준 거지. 끔찍한 인생으로 만들어 버린 거야. 자신의 그릇에 맞지 않는 성공을 손에 쥔 거라고. 사실 과거라는 것은 손댈 게 없어. 그냥 가만히 두면 돼. 과거의 실수를 부정한다는 것은 현재의 나를 부정하는 거야. 예전보다 지혜로워진 나도 그 실수로부터 단련되어 탄생한 것인데, 그 실수를 지워 버리겠다니? 우스운 소리야 그거는. 과거의 나의 실수는 지워 버려야 할 부끄러운 역사가 아니라 나를 단련해 준 고마운 존재들이야. 실패와 실수, 역경, 고뇌, 눈물은 말이지, 인생 수업이야. 비싼 과외 수업을 받은 거라고. 바꾸어야 할 과거라는 것은 없어. 지금 만약 신이 나의 기도를 들어주신다면 나는 이렇게 기도하고 싶어, '아버지 저에게 역경을 보내 주옵소서, 저는 아직 미숙하나이다.'라고 말이야."

17. 가치관의 정립

“아저씨는 어떠한 판단을 내릴 때 주저하지 않는 것 같아. 보통 결정을 내릴 때 우유부단한 사람들이 많이 있거든. 그런데 아저씨는 망설이지 않고 결정을 하는 것 같아. 어떻게 그럴 수가 있는 거야?”

“나만의 확실한 기준이 있거든.”

“기준?”

“그래 나만의 기준.”

“그 기준은 어떤 거야?”

“죽음이야.”

“죽음?”

“그래 바로 죽음이야. 이것만큼 확실한 기준이 없는 것 같더라고.”

"어떠한 중요한 결정을 해야 할 때 내가 지금 임종을 앞두고 있다고 상상을 해. 그러면 죽음을 앞둔 내가 후회하지 않을 결정을 내리기만 하면 되지. 그러면 이 일을 해야 할지 말아야 할지 확실한 결정을 내릴 수 있게 돼. 지금까지 거의 모든 인생의 중요한 결정들은 그렇게 내렸어. 나는 죽기 직전이라는 상상을 해 보면 먹어 보지 못한 캐비아, 타 보지 못한 람보르기니 따위는 생각이 나지 않더라고. 그런 것들보다는 이루지 못한 꿈, 시도조차 해 보지 못했던 꿈들이 생각이 나더라고. 단순한 상상이 아니라 정말로 지금 자신이 임종을 앞두고 있다고 생각을 해 보는 거야. 자기 최면을 거는 거야. 누워서 가만히 몸에 힘을 빼고 천천히 상상을 해 봐. 그리고 지나온 자신의 일생을 돌아보면 젊은 날의 내가 보여. 위험한 도전을 해 볼까 말까 망설이다가 실패하면 어떡하지라는 걱정에 안전한 길을 선택해서 곳간에 양식을 채우고 있는 내가 보여. 그렇게 안전하게 안락한 삶을 살다가 이제 생의 마지막 장을 장식하는 시점에서 시도조차 해 보지 못했던 꿈이 떠올랐어. '아... 그때 그 일에 도전을 해 봤더라면 어땠을까? 노인이 된 나는 가슴이 먹먹해졌어. 숨을 쉴 수 없을 만큼 가슴이 답답해져 와. 하지만 이제 더 이상 돌이킬 수가 없어. 나의 생명의 초는 얼마 남지가 않았어. 그렇게 열심히 쌓아 올린 나의 부는 어디로 갔지? 지금 통장의 잔고가 눈을 감는 마지막 순간의 나에게 미소를 짓게 해 줄 수 있나? 노인이 된 나는 더 이상 숨을 쉴 수가 없어. 안 돼 안 돼! 말은 나오지가 않고 목구멍 안에서 맴돌고 있어. 안 돼! 나는 식은땀을 흘리면서 자리를 박차고 일어났어. 헉... 헉... 가쁜 숨을 몰아쉬면서 나는 두 손과 나의 몸을 쳐다보고 있어. 아... 나는 노인이 아니야. 아직 젊어, 다시 결정할 수 있어. 또 한 번의 기회가 있어. 다시는 실수하지 않아. 마지막 순간에 미소 지으면서 눈을 감을 수 있어. 다행이다. 다행이다. 나의 삶의 가치관이 완전하게 정립된 순간이었어. 그때 이후로 '저놈은 꿈꾸는 놈이다. 현실 감각이 떨어지는 놈이다.'라는 얘기를 많이 들었지. 그런데 어쩌면 말이야. 현실 감각이 뛰어나다는 말은…… 평생 살 것처럼 일을 하고 재물을 모은다는 의미일지도 몰라."

18. 자신만의 목적지

"그런데 말이야 아저씨."

"돈을 버는 것도 나름대로의 의미가 있지 않아?"

"당연하지. 돈을 벌지 않을 수는 없지. 우리는 육체를 가지고 살아간다고. 육체는 물질을 필요로 하기 때문에 우리는 경제 활동을 해야 해. 우리에게 소중한 것들을 지키기 위해서는 돈이 필요해. 언젠가 생길지도 모를 큰일에 대비하기 위해서도 돈은 있어야 하고 무언가를 배우고 꿈을 이루기 위해서도 돈은 필요하지. 그리고 지금 당장은 아무런 필요가 없더라도 두둑한 통장 잔고는 왠지 모를 자신감을 사람에게 안겨 주기도 해. 나는 돈을 버는 것이 의미가 없다는 말을 하고 있는 것이 아니야. 무엇이 중요한 것인지 잊지 말라는 것이지. 자, 지금 여기 한 여행객이 있어. 이 사람은 차를 타고 자기만의 목적지를 향해서 열심히 가고 있어. 여기에서 본질은 자신의 목적지에 도착해야 한다는 것이야. 그런데 어느 순간인가부터 이 사람은 자신만의 목적지에 도달해야 한다는 것은 잊은 채, 차에 고급휘발유를 넣고 광택을 내고 있어. 인생길에서 길을 잃어버린 거야. 본질이 무엇인지 착각해 버린 것이지. 주변을 한번 둘러보라고. 인생의 본질을 망각해 버린 사람들이 아주 많이 있어. 돈을 벌어서 차에 기름을 넣었으면 어서 출발해야지. 자신만의 목적지를 향해서 말이야. 그런데 왜 자신의 목적지는 잊어버린 채, 차에 집착을 하고들 있는 거야?"

요정이 잠시 생각을 하다가 남자에게 물었다.

"아저씨…… 자기만의 목적지라는 것은 무엇일까? 일단 그곳이 어디인지 알아야 갈 수 있는 게 아닐까? 목적지를 잊어버린 사람들도 있겠지만…… 애시당초 자신만의 목적지가 어디인지 모르는 사람들도 많을 거 같아."

"그렇지, 맞아. 자신의 목적지가 어디인지 아예 모르고 그냥 차를 꾸미는 것에 집착을 하면서 떠내려가듯이 사는 사람들이 많이 있어. 자신만의 목적지가 어디인지 알려면 말이야. 자, 한번 상상을 해 봐. 인류의 과학 문명이 고도로 발달한 아주 먼 미래에 왔다고 생각해 봐. 모든 것은 중앙 통제 시스템의 AI가 관리하고 있어. 모든 생산 설비와 공장은 완전 자동화가 되어 있고 인공지능 로봇들이 완력이 필요한 모든 일들을 처리하고 있어. 은행과 화폐라는 것이 사라졌어. 사람들은 경제 활동을 할 필요가 없고 돈이라는 것도 필요가 없게 되었어. 에너지는 무궁무진하고 모든 인류가 자유롭게 사용할 수 있어. 인간 생활에 필요한 모든 생활용품들은 무료로 제공되고 있어. 인류는 노동으로부터 해방되었어. 에덴동산의 아담과 이브로 돌아간 거야. 자. 지금부터가 중요해. 이제 사람들은 무엇을 해야 할까? 이게 본질이고 목적지야. 여기에 대답을 하지 못한다면 그 사람은 지금 떠내려가면서 살고 있는 거야. 자신만의 인생의 목적지가 어디인지 모르는 거야. 노동에서 해방된 사회, 인생의 가치를 어디에서 찾을 거야? 하루에 8시간을 자고 이제 자신에게는 16시간이 남아 있어. 이 시간을 어떻게 소비할 거야? 노동이 사라진 사회에서 가치를 어떻게 찾을 거야?"

"어렵다 아저씨."

"이건 저마다 답을 찾아야 해. 자신만의 목적지라는 게 꼭 거창한 것은 아니야. 의외로 되게 단순하고 별거 아닌 것일 수도 있어. 하지만 이건 1차원적인 행복이 아니라 좀 더 고차원적인 행복으로 가기 위해서는 꼭 필요한 것이야."

"흠. 그러면 아저씨 그렇게 자신만의 목적지를 찾아낸 다음에는 어떻게 해?"

"어떻게 하기는, 그걸 지금 해야 돼."

"그걸 지금 한다고?"

"그래 지금 바로 해야 해. 중요한 것은 미루면 안 되지."

"하지만 지금은 노동이 사라진 세상이 아닌걸? 사람들은 여전히 노동에 속박되어 있는데, 어떻게 그걸 지금 바로 해야 된다는 거야?"

"왜냐하면 말이지, 거의 모든 사람들은 경제적 자유를 이루지 못할 테니까. 죽을 때까지 노동에서 벗어나지 못할 거야. 경제적 자유를 이루기도 어렵고 욕심에서 벗어나기도 어려워. 이제 됐다고 생각하는 순간은 영원히 오지 않을 거야. 그러니까 지금 바로 해야 해. 노동을 하면서 같이 해야 하는 거야. 그렇지 않으면 평생 하지 못할 테니까."

19. 죽음을 똑바로 응시하라

"죽음을 코앞에 두고 있다는 상상을 해 본다는 거는 괜찮은 거 같아. 보통 사람들은 죽음에 대해서 생각하길 꺼리는데 말이지."

요정의 말에 나는 요정을 보며 이야기했다.

"모든 생명이 있는 존재들은 죽음을 본능적으로 회피하려고 할 거야. 죽음에 대해서 생각하는 것조차 꺼리지. 하지만 그래서는 안 돼. 죽음을 똑바로 응시해야 돼. 그러면 죽음은 자신에게 많은 것들을 알려 줄 거야. 죽음이라는 것은 어쩌면 신이 만든 최고의 발명품일지도 몰라."

"죽음이??"

"그래 죽음이 있어야 탄생도 있고 세상은 순환할 수가 있어."

"창조와 오래된 것들의 파괴가 계속해서 순환해야 돼. 그렇지 않으면 세상은 썩게 된다고. 그리고 무엇보다도 죽음은 강력한 동기 부여를 해 준다고."

"동기 부여?"

"잊지 말라고. 우리 모두는 시한부 인생을 살고 있다는 것을 말이야. 죽음은 일을 부지런히 하도록 우리들을 채찍질해 준단 말이야. 만약에 생의 마지막이 없다면 우리가 해야 할 일을 얼마나 미루게 될지 한번 생각을 해 봐. 퇴근길에 보이는 2층 상가 건물의 미술 학원 간판을 보면서 그림을 배우고 싶다는 생각을 해. 시간이 날 때 가서 등록을 해야겠다고 생각을 하지. 그러고는 100년 후에 미술 학원에 가서 등록을 해."

나는 피식 웃으면서 계속 이야기했다.

"과장이 심하다고 생각해? 사람이 영원히 산다면 전혀 불가능한 일이 아니야. 충분히 있을 수 있는 일이라고. 끝이 있어야 돼. 세상은 계속해서 순환해야 돼. 그렇지 않으면 방탕한 삶들이 세상에 넘쳐날 거야."

요정은 고개를 갸웃거리며 말했다.

"그런데 아저씨 뭔가 이상한 거 같아. 지금 세상에는 영원히 살 것처럼 사는 사람들이 많은 것 같아. 죽음이 기다리고 있는 시한부 인생이지만 느긋한 사람들이 많은 것 같아."

내가 말했다.

"죽음을 회피하고 있어서 그래. 그래서 죽음을 똑바로 응시하라고 하는 거야. 그리고 자신도 언젠가는 죽는다는 것을 알고 있지만 그게 언제인지 모르니까 아직 시간이 많이 남아 있다고 착각을 하는 거야. 게으른 사람들은 아직 남은 시간이 많다고 착각을 해. 그들은 시작도 해 보지 않았기 때문에 시간이 어느 정도 걸리게 될지 가늠을 못하고 있거든. 하지만 부지런하고 열정적인 사람일수록 깨닫게 되지. 자신에게 남은 시간이 얼마 없다는 사실을. 그런 사람들은 불안해 한다고. 자신에게 주어진 시간 안에 이 일들을 끝낼 수 있을까 하고 불안한 마음을 가지게 되지. 워라벨 같은 말은 그들에게 통하지 않아. 하루 종일 일하고 또 일하지. 바로 그들이 세상을 바꾸는 사람들이야."

20. 인연

내가 요정과 같이 지낸 지도 보름이 되어 갔다.
문득 요정과 친해진 거 같다는 생각이 들었다.
"이봐 꼬마야, 우리가 같이 알고 지낸 지도 제법 되는 거 같다?"
요정이 나를 가만히 내려다보며 말을 했다.

"맞아. 이제 아저씨와 나는 연결되었어."
"연결?"
"응. 인연이라고 하는 거야. 아저씨와 나의 인연은 시작되어 버렸어."
"인연이 시작되었다라. 그건 무엇을 의미하는 걸까?"
"서로가 서로에게 영향을 미친다는 거야. 아저씨는 수십억 사람들 중의 한 명이었다가 이제는 나의 아저씨가 된 거야.

아저씨가 기뻐하면 나도 기뻐할 거고 아저씨가 흔들리면 나도 흔들릴 거야."

"무엇 때문에 그렇게 된 걸까?"

"시간과 관심이야. 서로가 서로에게 들인 시간과 관심은 인연을 형성해."

"우리의 인연은 언제까지인 거야?"

"아저씨가 나에게 말을 걸어 주고 내 눈을 쳐다봐 주는 시간 동안은 우리의 인연은 지속될 거야."

"영원한 것은 없구나."

"맞아. 모든 것은 과정이니까."

"문득 생각이 난 건데 영원한 사랑을 약속하는 연인들의 인연에 대해서는 어떻게 생각해?"

"모든 것은 과정이야. 그들은 완성을 향해가는 과정 속에서 순간의 진실함을 느낀 것이야. 영원을 약속한다는 것은 변하는 않는다는 것을 약속한다는 것이야. 하지만 세상의 모든 것은 변해가고 순환해. 그 속에서 마음이 변하지 않도록 지킬 수는 있겠지만 무슨 일이 생길지는 아무도 알 수 없는 것이야. 마지막 두 눈을 감는 순간에 두 사람은 서로의 손을 맞잡고 말할 수 있겠지. 약속을 지켰노라고. 나의 사랑은 당신뿐이었노라고. 이건 분명히 아름답다고 말할 수 있지. 하지만 변화해 가는 과정 속에서는 영원을 보장할 수 없어. 순간의 진실함을 느껴서 영원을 약속할 수는 있지만 보장할 수는 없어. 모든 가능성은 열려 있는 거니까. 그러니까 변해버린 그 사람을 너무 원망할 필요는 없어. 약속의 순간에 그 사람이 진심이었던 거는 분명한 사실이니까."

요정은 잠시 머뭇하다가 다시 이야기했다.

"하지만 말이야. 인연은 영원할 수 없지만……한번 인연이 연결되었었던 흔적은 영원히 남아……"

21. 그냥 좀 다른 사람

요정은 가만히 무엇인가를 생각하더니 이상하다는 듯이 나에게 말을 했다.

"아저씨, 내가 지금 이곳에 있는 동안에 아저씨를 찾아온 사람이 한 명도 없었어."

나는 요정을 바라보며 말했다.

"나는 말이야. 대인 관계가 아주 좁아."

"왜?"

"공통분모를 가지고 있는 사람들을 만나기가 어려웠거든."

"공통분모?"

"그래. 같은 관심사가 있어야지 대화가 될 텐데 말이지. 새로 출시된 자동차의 성능에 대해서 이야기하고 이번에 받은 상여금이 얼마인지 비트코인의 가격이 얼마나 올랐는지 로또 1

등이 어디에서 몇 명이 나왔는지에 대해서 이야기를 하고 있는데 거기를 비집고 들어가서 '예술의 아름다움은 어디에서 나오는 걸까?'라는 말을 던질 만큼 나는 용감하지가 않아. 어렸을 때는 내가 어딘가 잘못된 건 줄 알았어. 다른 사람들과 자연스럽게 대화를 이어 나가지 못하고 혼자 있는 시간이 더 편하게 느껴지는 게 정상이 아닌 줄 알았다고. 그냥 조금 달랐던 것뿐인데 나는 내게 장애가 있는 줄 알았어. 그래서 고치려고 노력도 해 봤었어. 나의 특성을 극복해야 할 장애로 본 거지. 그런데 세상이 정해 놓은 기준에서 벗어났다고 그게 문제가 있는 것은 아니야. 관심이 가지 않는 분야에 대해서 관심을 가지려고 애를 쓴다는 것은 정말 괴로운 일이더라. 관심 분야가 같은데 대화가 원활히 되지가 않는다면 그건 대화 스킬이 부족한 거겠지. 그러한 문제들은 고쳐야 한다고 할 수가 있겠지. 하지만 관심 분야가 달라서 대화가 되지 않는다면 그건 당연한 거야. 자신에게 문제가 있는 것이 아니라고. 그런데 예전에는 나의 문제인 줄 알고 고치려고 애를 쓰는 바보 같은 짓을 했었지."

"왜 그런 바보 같은 짓을 했던 거야?"

"세상이 사람들에게 관심사를 정해 줬거든. 이 사회는 아주 웃긴 구석이 있단 말이야. 올겨울에 유행할 패션을 미리 정해 줘. 그리고 사람들이 마땅히 관심을 가져야 할 분야를 정해 줘. 사람들은 그것이 마치 자신이 스스로 내린 판단인 줄 착각하고 살아가고 있다고. 이것은 우리 사회가 다양성이 말살되고 통제되고 있다는 걸 의미해. 사람들은 조종당하면서 살아가고 있어. 그걸 모를 뿐이지. 자신과 맞지 않는다면 과감히 손절을 해 버리면 돼. 굳이 자신의 몸을 억지로 깎아 내어서 피를 흘리면서까지 세상 속에 맞춰 들어가려고 애쓸 필요는 없다고. 지금 자신이 원하는 것이 진정으로 자신이 원하는 것인지 아니면 세상이 원하는 것이니까 떠밀려서 원하게 되었는지 제대로 구별할 줄 알아야 해. 지금 내가 있는 이곳이 정말로 즐거운 건지. 아니면 그들에게 맞춰 주려고 억지웃음을 짓고 있는 것은 아닌지. 내 관심사가 아닌데 힘겹게 상대의 얘기를 들어 주고 있는 것은 아닌지. 한번 자기 자신에게 물어봐야 해. 만약에 내 관심사가 아니었고 진정으로 내가 원하는 것이 아니었다면 힘겹게 그곳에서 그렇게 애쓰고 있을 필요가 없어. 세상이 아니라고 하는 걸 한다고 해서 자신이 이상한 사람이 되는 것은 아니야. 만약에 누가 너는 왜 그러냐고 묻는다면 나는 이 경직된 사회를 좀 더 다채롭게 만들어 주는 사람이라고 말해주라고. 나는 단지 관심사가 다를 뿐이고 혼자 있어도 딱히 불편함을 느끼지 못하는 사람일 뿐이야. 아직도 어쩔 수 없이 사람들을 만나는 자리가 생기게 되면 나는 어떤 이야기들을 해야 할지 생각을 한다고. 진짜로 내가 하고 싶은 이야기들은 하지 않아. 이상한 사람 취급을 받고 싶지는 않거든. 지금 세상에서 사람들에게 정해 준 관심사가 무엇이지?"

"부자가 되는 방법, 성공한 사업가가 되는 방법 아닐까?"

"그래, 부자가 되는 방법, 성공한 사업가가 되는 방법이지."

"그래, 거기에 대해서 이야기를 해야겠군."

....

"하지만 나는 거기에 대해서 아는 게 없구나. 공부를 해야 하나? 굳이? 접대성 멘트를 위해서 관심이 없는 분야에 대해서 공부까지? 됐어, 관두자. 이렇게 나는 입을 다물게 되는 거야. 조금 이상한 사람이 되는 거지. 하지만 나는 아무렇지도 않다고. 이거 하나는 기억해 두라고. 너희들이 뭐라고 하든 나는 괜찮아."

22. 스트레스 컨트롤

“아 스트레스 받는다!”

나는 손에서 펜을 떨어뜨리면서 머리 위로 양팔을 들어 올려 기지개를 켜면서 외쳤다.

“스트레스? 그게 뭐야?”

요정이 궁금한 표정으로 나에게 물었다.

“음…어떠한 압박감을 받는다는 말이야.”

“압박감? 그러면 그거는 나쁜 것이구나.”

“그렇지 않아. 스트레스는 에너지라고.”

“어떠한 일을 진행하는 사람에게는 꼭 필요한 거야.”

흠…요정은 의아하다는 표정을 지으면서 다시 물었다.

“그런데 조금 전에 아저씨의 표정이 좋지 않았다고. 기지개를 켤 때 아저씨의 표정이 약간 일그러졌단 말이지."

"스트레스는 불편함을 안겨 주니까 그런 거야."

"역시 스트레스는 나쁜 거구나!"

"그렇지 않아. 스트레스는 지방과 같은 거야."

"지방??? 비계 말이야??"

"그래 맞아. 지방은 사람 몸에 꼭 필요한 영양소라고. 하지만 사람들은 지방을 없애 버려야 할 나쁜 존재로만 인식하고 있지. 사람의 생존에 꼭 필요한 것인데 말이야. 물론 너무 많으면 건강에 나쁜 영향을 주니 적절히 조절해 줄 필요는 있지. 스트레스도 이와 같아. 사람들은 스트레스를 부정적으로만 보는데 어떠한 일을 진행할 때 스트레스는 꼭 필요한 에너지를 제공해 준다고. 사람은 적당한 스트레스를 받아야지 일을 진행할 수가 있어. 만약 내가 글을 써야 한다는 스트레스를 받지 않는다면 글을 쓰는 속도가 현저하게 느려질 거야. 하지만 스트레스도 너무 많으면 정신적으로 문제가 생기니까 적절히 조절할 줄 알아야 하긴 해. 적당히 불편하지 않으면 사람들은 에너지를 잃게 돼. 언젠가 살을 빼면 바디 프로필을 찍으러 가야겠다고 생각하는 사람들은 다이어트를 할 에너지를 얻지 못해. 너무 편하거든. 이때 좋은 방법은 사진관에 보디 프로필 촬영 비용을 선입금한 뒤에 한 달 뒤로 촬영 날짜를 정해 버리는 거야. 다이어트를 할 에너지를 얻기 위해서 자신을 스스로 압박하는 거지. 무엇인가를 하려는 사람들은 적당히 불편하고 적당히 스트레스를 받아야 돼. 하지만 이 스트레스는 자신의 수용 능력의 한계를 벗어나면 안 돼. 적당한 스트레스는 나에게 동기 부여가 되지만 지나치게 큰 스트레스는 오히려 의지를 꺾는단 말이지. 꼬마 너에게 소리를 지를 수도 있다고."

"나한테 소리를 질러?"

"그래. 야 이 쪼그마한 게 글 쓰는 데 방해되게 왜 눈앞에서 얼쩡대는 거야? 이렇게 소리를 지를 수도 있다고. 지나친 스트레스는 사람의 정신을 좀먹거든. 예를 들어서 사람들은 배가 부르면 더 이상 음식을 먹지 않겠지. 스트레스도 본인이 감내해 낼 수 있는 한도 이상으로 받았다고 생각된다면 더 이상은 좋지 않아. 속이 더부룩하고 소화가 되지 않는다면 사람들은 소화를 시키기 위해서 산책을 나가겠지. 스트레스도 필요 이상으로 많이 쌓여 있다고 판단이 된다면 해소를 해 줘야 돼."

"아! 전에 아저씨가 밤늦게 차를 몰고 드라이브를 간 거처럼 말이지?"

"그래, 맞아. 스트레스가 필요 이상으로 쌓인 거 같아서 정신 건강을 유지하기 위해 드라이브를 갔던 거야. 이건 아주 중요하다고. 사람은 기계가 아니야."

"그런데 끝까지 버티려고만 하는 사람들이 있어. 정신력으로 감당해야 된다고 소리치면서 자신의 수용 능력 이상의 스트레스를 온몸으로 맞고 있는 사람들이 있어. 그리고 안타깝게도 이런 사람들은 대개 성실하고 책임감이 뛰어나지. 이런 사람들은 자신은 힘들더라도 일은 놓으면 안 된다고 생각해. 하지만 말이야. 한 번쯤은 놓아 버려도 괜찮아. 그러면 아마 깜짝 놀라게 될 거야. 자신의 생각처럼 그렇게 큰일은 거의 일어나지 않거든. 세상과 자신의 주변은 의외로 잘 돌아가. 그러니까 잠시 쉬었다가 다시 돌아와도 괜찮아. 자신을 너무 괴롭힐 필요는 없어."

23. 좀비 모드

나와 요정이 함께 지낸 지도 한 달이 넘어갔다.

아침 햇살이 창문을 통해서 조심스레 머리를 들이밀었다.

햇살의 어루만짐에 나는 레몬을 씹은 듯한 표정으로 자리에서 일어났다.

잠시 자리에 앉아서 멍하니 있다가 물 한 잔을 마시고는 아무런 생각이 없는 표정으로 책상에 앉아서 컴퓨터를 켰다.

"우와~~~아저씨 방금 좀비 같았어."

요정이 신기하다는 듯이 나에게 말했다.

나는 잠이 덜 깬 표정으로 요정을 바라보면서 말했다.

"맞아. 좀비였어. 나는 아침에 일어나면 좀비 모드로 일을 시작해."

"응? 좀비 모드로 일을 시작한다고?"

"그래 맞아."

"생각을 하지 않는 거야?"

"뭐 하러 생각을 해. 그래 봤자 스트레스밖에 안 받아."

"생각을 하는 것이 스트레스를 준다고?"

"응. 행동만이 필요한 생활 패턴에서 생각을 너무 많이 하지 마. 그 생각이 자신의 발목을 잡게 될 테니."

"생각이 자신의 발목을 잡게 된다고?"

"행동만이 필요한 상황에서 행동을 시작하기 전에 나는 무엇을 해야 한다고 머릿속으로 되뇌는 것은 자신에게 스트레스를 안겨 줘. 그리고 그 스트레스는 자신의 실행력을 둔화시키지. 이러면 아주 웃기는 상황이 벌어지게 된다고."

"웃기는 상황?"

"그래, 일을 시작도 하지 않았는데 스트레스로 일을 하기 힘든 상태가 되어 버려. 해야 한다는 생각이 주는 스트레스에 일을 하지 못하게 되어 버린다고. 일을 시작도 하지 않았는데 스트레스를 받아 버린 거지. 굳이 자신이 받지 않아도 될 스트레스를 만들어 내어서 받고 있는 거라고. 아주 바보 같은 상황이지. 스트레스는 말이야. 일을 실행해 나가면서 거기에서 오는 스트레스를 받는 거만으로도 충분해. 나 같은 경우에는 집필을 해나가면서 어떤 이야기들을 써야 할지 고뇌하고 번뇌하는 과정에서 오는 스트레스로 충분하다는 말이야. 굳이 아침에 일어나서 '오늘도 글을 써야 하는구나.'라는 생각을 하면서 스트레스를 받을 필요가 없어. 어떻게 해야겠다는 계획이 세워지고 나면 그때부터는 좀비 모드에 들어가. 생각은 이미 충분히 했으니까 행동만 하면 되거든. 좀비 모드라는 것은 몸이 마음을 끌고 가는 것을 말하는 거야."

"몸이 마음을 끌고 간다고?"

"그래. 지금 세상 사람들은 정신력만을 너무 강조해. 정신력이 약해서 그렇다. 마음먹은 대로 된다, 몸은 정신을 따라온다, 이런 식으로 말이지."

"아저씨, 그건 맞는 말이지 않아?"

"맞아. 맞는 말이야. 하지만 그 반대의 경우도 가능하다는 것을 간과하고들 있단 말이야. 마음과 몸은 일방통행의 관계가 아니야. 서로가 서로에게 영향을 미치고 있다고. 마음이 앞서가고 몸이 따라가든지, 몸이 먼저 나가고 마음이 따라가든지 둘 다 가능해. 예를 들어서 글을 쓰려고 마음 먹는 게 어렵고 마인드 컨트롤이 잘 되지가 않는다면 좀비 모드로 컴퓨터 앞에 앉아서 자판 위에 손을 올려 보라고. 그러면 글을 써야겠다는 마음이 생기게 돼. 몸이 먼저 앞서 나가면 마음이 따라오게 되어 있어. 이게 내가 사용하는 좀비 모드야."

24. 딱히 상관은 없었다

내가 살고 있는 곳의 주인 부부는 참 반듯한 사람들이었다.

서울에서 30년간의 공직 생활을 마치고 이 시골로 귀농을 해서 살고 있는 부부였다.

자취방 건물 뒤편으로는 자그마한 배밭이 있었다.

주인 부부는 소일거리로 배 농사를 짓고 있었다.

한 번씩 내 방으로 올라와 밝게 웃으시며 배즙을 주고는 하셨다.

'참 반듯한 사람들이구나. 법 없이도 산다는 말이 저분들을 두고 하는 말이구나.'

교통 법규 위반 딱지도 끊어 본 적이 없을 거 같다는 생각이 들었다.

그런데 주인집 부부가 내 방에 드나들기 시작한 다음부터

이 조그마한 시골 마을에 이상한 소문이 돌기 시작했다. 배 집 2층에 살고 있는 남자가 누구와 대화를 하는 것처럼 혼잣말을 한다는 소문이 그것이었다. 나는 이미 이상한 사람이 되어 있었다.

아무도 나에게 왜 혼잣말을 하는 거냐고 물어보지 않았다. 나에게 변명의 기회는 주어지지 않았다.

그리고 이건 나에게 익숙한 일이었다.

'또 이상한 사람이 되었구나.'

이 오해를 어떻게 풀어야 할지 크게 고민을 하지는 않았다.

딱히 상관은 없었다.

사람들이 나를 이상하게 본다고 해도 나는 이상한 사람이 아니었으니까 상관은 없었다.

사람들은 자신의 이해 범위를 넘어서면 이상하다고 하는 것일 뿐이다.

상대방이 이상한 거라고 생각해야 자신의 부족함을 감출 수 있으니까 그렇다.

25. 모두가 힘들다

"이봐, 꼬마야. 담배가 떨어졌어. 같이 좀 나갔다 오자."
나는 요정을 쳐다보며 말을 했다.

요정이 놀라 토끼눈을 하면서 나를 응시했다.
"응? 같이 나갔다 오자고?"
"여태껏 계속 혼자서 나갔다 오더니, 이제는 같이 갔다가 오자고?"
요정이 고개를 갸웃거리다가 뭔가를 깨달은 듯이 소리쳤다.
"아하, 아저씨 나한테 길들여졌구나. 이제 내가 없으면 어떻게 하려고 그래? 읍읍읍…"
나는 검지로 요정의 입을 막았다.

차를 타고 얼마 달리지 않아서 편의점 앞에 도착했다.

“어서 오세요.”
새벽 시간대에 편의점 점원은 무뚝뚝한 표정으로 우리를 맞았다.
점원의 얼굴은 말을 하기 위한 입 주변 근육 외에는 근육이 없는 듯했다.
나는 웃으면서 점원에게 담배를 달라고 말했다.
영혼이 없는 듯한 점원에게서 담배를 받아 든 나는 수고하세요 하고 인사를 건넨 후 밖으로 나왔다.
집으로 돌아오는 차 안에서 요정은 나에게 이상하다는 듯이 말했다.
“아저씨 편의점 직원한테 왜 웃으면서 대답해 줬어?”
“그 사람은 너무 불친절했는데 아저씨는 친절했다고.”
“힘든 일을 하고 있는 사람에게 내가 줄 수 있는 게 웃으면서 대답해 주는 것밖에 없잖아?”
“힘든 일? 전혀 힘들어 보이지 않았는데? 그냥 상품의 바코드를 찍어 주고 계산해 주는 게 다잖아?”

“이봐, 꼬마야. 우리는 편의점 안에서 겨우 1분 정도 머물렀을 뿐이야. 그 사람의 근무 시간 중에서 우리는 단 1%도 같이 하지 못했어. 그러니 우리는 편의점 점원의 업무 강도를 평가할 수 없어. 방금 그 발언은 아주 좋지 않은 태도야. 모든 직업들은 겉으로 드러나 보이는 모습들 외에 그 이면에 어떠한 어려움들이 있는지는 직접 해 보기 전에는 알 수가 없어. 그러니 절대로 함부로 평가해서는 안 돼."

"음. 글쎄, 겉으로 드러나는 거 외에 어떠한 어려움들이 있으려나? 편해 보이던데."

요정이 뾰로통한 표정으로 말했다.

"꼬마야, 나는 예전에 아주 많은 일들을 해 봤어. 공장의 생산 라인 근무부터 건설 현장일에, 분식집 오토바이 배달까지 해 봤다고. 그러다가 어느 날 문득 이런 생각이 들었어. 너무 힘들다. 돈을 좀 덜 벌어도 좋으니까 편한 일이 하고 싶다. 그때부터 어떤 일이 편한지 눈을 부릅뜨고 찾아다녔지. 그래서 내가 발견해 낸 편한 일이 뭔지 알아?"

"설마?"

"그래 맞아. 바로 편의점이야. 그런데 오전 근무는 안 돼. 오전에는 손님이 제법 많은 거 같았거든. 그래서 야간 근무를 택했어. 새벽에는 손님도 거의 없고 편해 보이더라고. 그런데 그때까지만 해도 몰랐어. 제정신이 아닌 사람들이 새벽에 편의점에 많이 온다는 걸 말이야. 특히 주말 야간에 편의점은 상당히 스펙터클하다고. 취객들끼리 날아 차기를 하는 것도 봤어. 새벽에 남자 손님이 혼자 들어와서는 물건을 사지는 않고 20분째 계속 물건을 뒤적뒤적하다가 나를 한번 흘깃 보고 할 때는 소름이 끼친다고. 자고 있는 사장한테 전화를 해서 '거동이 수상한 사람이 한 명 있는데 강도인 것 같습니다. 다른 손님들이 다 나가기를 기다리고 있는 것 같습니다.'라고 말을 하니 사장이 뭐라고 한지 알아? 흉기 들이대면 위험한 짓 하지 말고 그냥 돈통에서 돈 꺼내서 줘. 보험 가입돼 있으니까 괜찮아. 그 일이 있고 나서 며칠 후에 편의점 일을 관뒀어. 그리고 깨달았지. 세상에 쉬운 일이라는 것은 없구나. 저마다 자신만의 전쟁터 속에서 살아가고 있구나. 나만 유독 남들보다 힘들게 사는 것 같아? 나는 왜 이렇게 힘들지? 저 사람은 좋아 보이네. 별로 걱정이 없는 거 같은 표정이야. 이런 생각을 사람들은 한 번씩 할 때가 있지. 그런데 그 사람도 똑같은 생각을 하고 있을 거라고. 길거리 노숙자에서부터 행정부의 수반, 대통령에 이르기까지. 마음 편하고 몸이 편한 사람이 있을 거 같아? 모두가 힘들어. 모두가 고민을 가지고 있고 모두가 체력이 부족하다고. 이런 세상 속에서 내가 할 수 있는 것은 상대방에게 건네는 따뜻한 말 한마디, 따뜻한 표정, 이것밖에 없어. 편의점 직원이 불친절하다고 나까지 그럴 필요는 없어. 그 편의점 직원의 행동은 일종의 방어 기제일 수도 있어. 야간에 제정신이 아닌 손님들을 많이 봐서 자기를 보호하려고 하는 행동일 수도 있단 말이야. 나는 편의점 직원의 무뚝뚝한 태도를 보고 처음 든 생각이 상처를 많이 받았나 보다 하는 거였어."

26. 미숙한 것뿐이야

“음… 그렇구나.”

요정이 잠시 생각을 하다가 나에게 말을 했다.

“하지만 아저씨, 모든 사람들이 그런 것은 아니잖아. 굉장히 친절한 편의점 직원들도 본 적이 있어. 그 친절한 편의점 직원도 제정신이 아닌 손님을 본 적이 있을 거고 자신만의 힘든 싸움을 해 나가고 있는 중일 텐데, 손님들에게 굉장히 친절하게 대해 줬다고. 왜 그런 차이가 생기는 거야?”

“성숙도의 차이야.”

“성숙도의 차이?”

“그래. 그 친절한 편의점 직원은 성장한 거야. 힘든 일들을 겪으면서 정신이 단련되어서 좀 더 성숙한 사람이 된 거야. 학교에 가지 않고 책을 읽지 않아도 인생길에서 힘든 일들은 사람에게 많은 것들을 알려 줘. 깨달음을 준다고. 한 분야에서 오랫동안 일한 사람들은 저마다의 깨달음을 가지고 있어. 내가 예전에 편의점에서 일할 때, 사장님에게 새벽 시간대에 취객을 상대하는 어려움에 대해서 말을 했더니 사장님이 나에게 이런 말을 해 준 적이 있어."

"제정신이 아닌 사람을 왜 진지하게 상대하느냐? 가볍게 대하면 된다."

"그 당시에 나에게 이 말은 충격이었어. 매사에 사람을 진지하게 상대하던 나에게는 꽤 많은 가르침을 줬었지. 가볍게 대한다는 게 사람을 함부로 대한다는 게 아니라 약간은 몸에 힘을 빼고 유연하게 대한다는 의미라고. 이 말을 듣기 전에는 취객이 나에게 '너, 인마. 그러면 안 돼!'라고 하면 '아니, 제가 뭘 어쨌는데요?' 이렇게 대꾸했었지."

흥미롭게 듣고 있던 요정이 물었다.

"그 말을 듣고 난 이후에는?"

"'아하! 죄송합니다. 주의할게요.' 내가 뭘 잘못했는지는 모르겠지만 제정신이 아닌 사람에게 '아니, 도대체 내가 뭘 잘못했어요?'라고 물어볼 필요가 없더라고. 또 한번은 주유소에서 일을 할 때였어. 차에 주유를 하던 손님과 약간의 마찰이 있었어. 그렇게 손님과 약간의 다툼이 있고 난 후에 그 손님이 주유소에 몇 번 더 찾아와서 커피를 마시고 가더라고. 커피를 마실 때 얘기를 잠깐 나눠 봤는데 내가 오해한 점이 있는 거 같더라고. 그래서 그 손님이 가고 난 다음에 사장님한테 '저 사람 알고 보니까 생각보다 괜찮은 사람인 거 같아요.'라고 말을 했지. 그랬더니 사장님이 나한테 그러더라고. '알고 보면 나쁜 사람 없어.' 대단해 보이는 사회 지도층 인사가 아니더라도 말이야. 우리 주변의 평범해 보이는 사람들도 자신의 분야에서 어려움을 극복해 나가면서 오랫동안 일을 하게 되면 어떠한 깨달음을 얻기 마련이야. 그러한 깨달음을 얻기 전까지는 많은 어려움들이 있었을 거야. 그러고는 성숙하게 된 거지. 만약에 불친절한 점원들을 만나게 된다면 말이야. 나쁜 사람이라고 생각하지 말고 아직 미숙하구나 하고 생각을 해 봐. 그들은 아직 과정 안에 있는 것뿐이야."

27. 내가 결정하는 거야

“아저씨는 보통 사람이 화낼 만한 일도 잘 참고 넘어가네.”

나는 잠시 생각을 하다가 대답했다.

“사람 안에는 무엇이든지 소멸시킬 수 있고 또 증폭시킬 수도 있는 힘이 있으니까. 밖에서 들어오는 것들은 우리가 통제할 수 없어. 자기들 마음대로 나의 마음 안으로 들어오니까 말이지. 좋은 것들이 들어올 때도 있고 나쁜 것들이 들어올 때도 있어. 들어오는 것은 내 뜻대로 할 수가 없지만, 그것을 소멸시키거나 증폭시키는 것은 완전히 나의 통제 하에 있어. 내 집 마당에 누가 쓰레기를 던지고 갔을 때 화를 소멸시키느냐 증폭시키느냐는 나의 의지야. 나는 그냥 나의 허락 없이 내 안으로 들어온 나쁜 기운들을 소멸시켜 버린 것뿐이야. 그 사람이 버리고 간 쓰레기를 그냥 치워버렸을 뿐이야 나쁜 기운이 들어오면 가능한 한 그것에 전염되지 마. 그것들은 전염

성과 증폭성이 아주 강하거든. 나쁜 기운이 들어오게 되면 이것들은 사람을 전염시키기 위해서 아주 애를 쓰거든. 그때 소멸시켜 버리지 못하면 그것들에 끌려다니게 돼."

"화를 내고 나서 후회한 적이 있어?"

"후회를 했다는 것은 그것들에 끌려다녔다는 증거야. 사람은 말이야. 자신의 의지로 자신을 통제하면서 살아가고 있다고 착각하고 있단 말이지. 그런데 의외로 주변 것들에 휩쓸려서 끌려다니면서 살아가는 경우가 많아. 나도 아직 완벽하지 않아. 한 번씩 통제력을 잃어버린 채로 끌려다니게 된다고. 그럴 때는 최대한 빨리 내가 지금 끌려다니고 있다는 것을 자각을 해야 돼. 그러면 빠르게 평정심을 찾을 수가 있다고. 기억하라고, 남들이 내 집 마당에 쓰레기를 버리고 가는 것은 어떻게 할 수가 없지만, 그것을 치워 버릴지 뜯어서 쏟아부을지는 내가 결정하는 거야."

28. 두 가지 고난

햇살이 따사로운 오후였다.

나는 글을 쓰는 것을 잠시 멈추고 방 한구석에 앉아서 휴식을 취하고 있었다.

요정이 나에게 말을 했다.

"아저씨 ~ 빨리 성공하고 싶지?"

"응? 그게 무슨 말이야?"

"아니. 어서 빨리 좋은 작가가 되고 싶지 않느냐고?"

"그러고 싶지 않아."

"엥? 그게 무슨 말이야? 빨리 좋은 작가가 되고 싶지 않다니."

"내가 어서 빨리 좋은 작가가 되고 싶다고 그렇게 되는 것도 아니고 나는 그냥 내가 쏟아부은 노력만큼만 나의 목표에 한 걸음씩 다가가고 싶어. 나는 지금 첫 번째 고난은 넘어섰고 두 번째 고난을 겪고 있는 중일 뿐이야."

"응? 두 번째 고난이라고?"

"사람은 말이야. 어떠한 일에 도전하든지 간에 두 가지의 고난을 넘어서야 해."

"두 가지의 고난? 그게 뭐야?"

"첫 번째는 자기 자신에 대한 의심이야. 과연 내가 할 수 있을까 하는 자신에 대한 의구심. 시험공부하는 사람은 '내가 이 시험에 붙을 수 있을까?', 운동선수는 '내가 훌륭한 선수가 될 수 있을까?', 사업을 하는 사람은 '내 사업이 성공할 수 있을까?' 그리고 나 같은 경우에는 '내가 좋은 작가가 될 수 있을까?' 하고 고민하지. 어떠한 일을 시작하는 사람이 첫 번째로 맞닥뜨리는 고난이 바로 자기 자신에 대한 불신이야."

"이걸 깨부숴야 해. 나는 무조건 할 수 있다고 믿어야 해. 자기가 자신을 안 믿으면 누가 믿겠어? 첫 번째 관문을 통과하고 나면 절반은 된 거야. 자신을 의심하지 않고 자신의 가능성을 인정하고 나면 두 번째 관문은 노가다의 시작이야."

"노가다?"

"그래. 두 번째 관문은 이 악물고 끝까지 가는 거야. 성공에 필요한 절대량의 시간과 노력, 땀과 눈물을 쏟아부어야 해. 자신이 목표로 하는 분야에서 성공한 사람들이 들였던 노력만큼은 자신도 노력을 해야 해. 이건 수치화하는 것이 좋아."

"수치화?"

"그래. 할 수만 있다면 성공한 사람들의 노력을 객관적으로 나타낼 수 있도록 수치화하는 것이 좋아. '미쳐야 한다. 자신의 모든 것을 쏟아부어야 한다.', '저는 오늘이 무슨 요일인지도 몰라요. 날짜도 몰라요. 전 그냥 수영만 해요.' 이런 말들은 별로 도움이 되지 않아. 이런 것들은 상대방에게 도움을 주기 위한 말이 아니라 자신을 내세우기 위한 말들이야. 어떻게 미쳤는지, 어떻게 날짜도 모르고 훈련만 했는지 수치화를 해야 해. 오전 운동 3시간, 오후 운동 3시간씩, 주 5일씩 3년. 또는 하루에 공부 8시간씩 주 6일간 2년. 이런 식으로 수치화를 해서 나타내야 해. 그럼 이제 간단하지. 최소한 저만큼의 노력 이상을 하면 돼. 노가다의 시작이야. 나도 노력만 한다면 좋은 작가가 될 수 있는 재능이 있다고 믿고 지금 노가다를 하고 있는 중이야. 어서 빨리 좋은 작가가 되고 싶다든지 그런 생각은 별로 자신에게 도움이 되지 않아. 묵묵히 멈추지 않는 게 중요할 뿐이야. '내가 멈추지 않는 한, 언젠가는 좋은 작가가 되기 위한 절대량의 노력은 채워진다.' 이것에 대한 믿음과 자신에 대한 믿음, 이 두 가지에 대한 믿음을 가지고 소처럼 묵묵히 가는 거야."

29. 안녕

"아저씨, 나 이제 갈래."
"그래, 이제 가는구나."
"별로 놀라지 않네?"
"만남이 있으면 이별도 있는 거니까."
"왜 가는 건지는 안 물어봐?"
"의미가 없잖아. 네가 간다는 게 중요한 거지. 굳이 이유를 물어보고 싶지는 않아."
"아저씨 내가 가니까 어느 정도로 슬퍼?"
"꼬마 네가 내 마음속으로 들어와 있는 만큼 슬프겠지. 사실 나는 강력한 예방 접종이 이미 되어 있거든. 예전에 나의 심장 바로 앞에까지 들어왔었던 사람이 있었기 때문에 죽을 만큼 아팠던 적이 있었기 때문에 상당히 내성이 생겼다고 생각하고 있었는데 그래도 이별은 익숙해지지가 않긴 해. 앞으로 누가 내 가슴을 도려내는 일이 생기지 않도록 내 안으로 너무 깊숙이 들어오는 것은 막으려고 생각하고 있었는데 그래도 누군가는 다시 내 안으로 들어오게 되고 아플 일이 생기고 하는구나. 꼬마야, 너는 원래 네가 있던 곳으로 돌아가는 거야?"

"응, 맞아."

"그곳은 어떤 곳이야?"

"내가 원래 있던 곳은… 완벽한 곳이야. 그 어떤 슬픔도 아픔도 없는 곳이야. 그런데 생각해 보니 아닌 거 같아."

"완벽한 곳이 아니라고?"

"응. 완벽하기 때문에 완벽한 곳이 아니야. 여기 인간 세상이 완벽한 것 같아. 갈등과 오해, 분쟁, 죽음, 슬픔이 있는 이곳이 완벽한 곳이야."

"... 잘 가."

"응, 아저씨. 안녕."

요정은 점점 투명해지더니 이내 사라져 버렸다.

잠깐의 침묵을 지키고 있던 나에게 쓰나미가 밀려오듯이 적막감이 몰아닥쳤다.

'이 방이 이렇게 조용한 곳이었나?'

놀라움도 잠시, 소중한 존재가 사라졌다는 생각이 들었다.

사람은 늘 이렇다.
사라지고 나서야 소중함을 느낀다.
그리고 이내 망각한다.
또다시 같은 실수를 되풀이한다.
나를 마구 때려 주고 싶은 마음을 추스르고 나서 일어나 밖으로 나갔다.
담배를 사기 위해서 편의점으로 차를 달렸다.
편의점 문을 열고 들어서자 무뚝뚝한 점원이 나를 맞았다.
"어서 오세요."
여전히 영혼이 없는 듯한 말투이다.

"오늘은 혼자서 오셨네요? 작은 친구는 어디 갔나요?"
……………….
나의 입가에 미소가 지어지고 있었다.
나의 삶은 죽음과 확연하게 구별되어졌다.

이것은 내가 삶의 의미를 찾아 헤매던 지난날의 기록이다.
당신들도 삶의 의미를 찾게 되기를 나는 진정으로 바란다.
세상은 나에게 너무나 이상했다.
그런데 세상 사람들은 나를 이상하다고 여겼다.
나에게는 단지 시간이 필요했을 뿐이다.

그러려니 하고 받아들이지 못했을 뿐이다.

본질을 알고 싶었을 뿐이다.

60조 개의 세포로 이루어진 인간이라는 지적 생명체 80억 명이 반지름 6,371km, 무게 5.972x10^24kg의 허공에 떠 있는 거대한 구체 안에서 살고 있다.

이 거대한 구체는 시속 1,670km의 속도로 빙글빙글 돌고 있으며 1억 5천만 킬로미터 떨어진 곳에 있는 반지름 696,340km의 스스로 빛을 내는 항성의 주변을 돌고 있다.

지름 10만 광년의 우리 은하 안에는 이러한 별들이 5,000억~6,000억 개 정도가 있다. 그리고 관측 가능한 우주에는 1,700억 개 이상의 은하가 있다.

인간의 관측 기술이 늘어날수록 은하의 숫자와 우주의 크기는 더 늘어나고 있다.

관측 가능한 범위 밖에는 무엇이 얼마나 더 있을지 알 수가 없다.

나는 내가 살고 있는 이 현실 세계보다 더 황당무계한 판타지 소설을 본 적이 없다.

이런 말도 안 되는 세상 속에서 살면서 삶의 의미를 찾는 것은 갓난아이가 엄마의 젖을 찾는 것과 같이 당연한 행위이다.

나는 어렸을 때부터 별다른 의문을 가지지 않고 그러려니 하고 무엇인가를 받아들이는 사람들을 이해할 수가 없었다.
반면 그 사람들은 그냥 그런 줄 알 것이지. 쉽사리 받아들이지를 못하고 계속 생각을 하는 나를 이해하기가 어려웠을 것이다.

주변에 무언가가 이상해 보이는 사람이 있더라도 그들을 너무 이상하게 보지 마라.

사실 사람들은 모두가 조금씩은 이상한 것이다.

이상하지 않은 척하면서 살아가는 것뿐이다.

그것이 개별성이다.
사회가 정해 준 기준에 맞추어, 눈치를 보며, 이상하지 않은 척하며 사는 것뿐이다.

서로가 서로에게서 이해하기 힘든 부분들은 다들 하나씩은 가지고 있다.

그러니까 결국은 모두가 서로에게 이상한 사람들이다.
서로가 상대방을 이해하려는 노력을 하지 않는다면 이 세상은 이상한 세상이 되는 것이다.
나는 더 이상 세상 사람들을 이상하다고 생각하지 않을 것이다.
나는 당신들을 이해하기 위해서 좀 더 노력을 할 것이다.

내가 초등학생일 때 집에서 학교까지 걸어서 30분 정도가 걸렸다.
학교를 걸어서 왔다 갔다 하면서 이런저런 생각들을 하곤 하였다.
그러다가 생각이 너무 많아지면 약간의 현기증을 느끼곤 했다. 그럴 때면 그 자리에 쭈그리고 앉아서 사색을 하였다.
오늘 내가 어릴 적에 자랐던 동네를 찾아가서 내가 다니던 등하굣길에 쭈그리고 앉아 보았다.
생각들이 꼬리에 꼬리를 물면서 떠오르기 시작한다.
나는 앉은 아이이다.

이상한 책

발　행 | 2024년 07월 05일
저　자 | 앎은아이
펴낸이 | 한건희
펴낸곳 | 주식회사 부크크
출판사등록 | 2014.07.15.(제2014-16호)
주　소 | 서울특별시 금천구 가산디지털1로 119 SK트윈타워 A동 305호
전　화 | 1670-8316
이메일 | info@bookk.co.kr

ISBN | 979-11-410-9339-6

www.bookk.co.kr

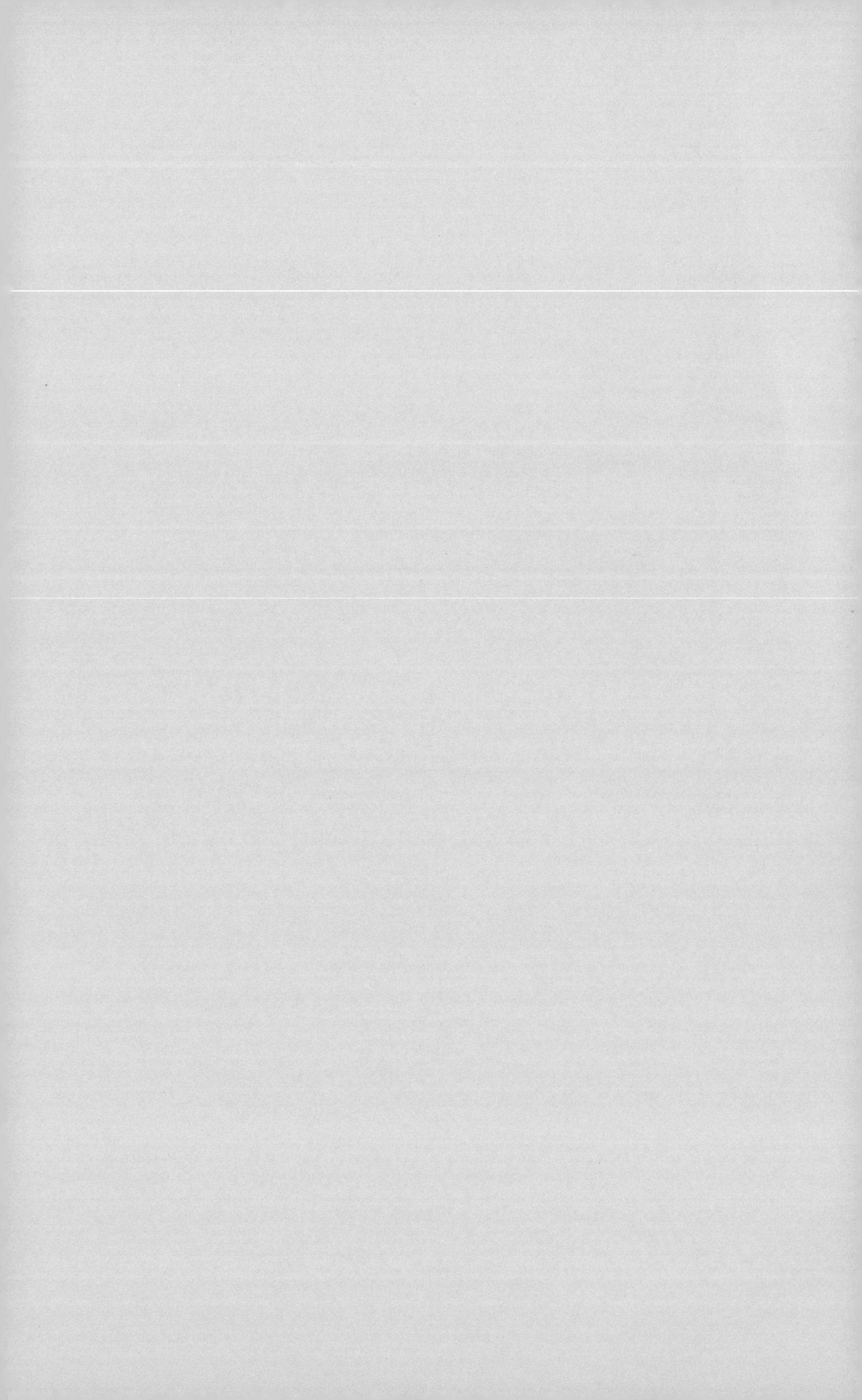